落ちこぼれ[☆1]魔法使いは、今日も無意識にチートを使う
Ochikobore [☆1] Mahoutsukai wa, Kyo mo Muishiki ni Cheat wo Tsukau....
6
右薙光介
Presented by Kousuke Unagi

ミント
ユユの姉。
陽気な性格でパーティの
ムードメーカー。
大剣を軽々と振り回す。
ユユ
物静かな魔法使いの少女。
アストルを慕い、
彼の心の支えになっている。
アストル
最低ランク☆1のアルカナを
授かってしまった少年。
『先天能力《インヒーレント》』により、
魔法を自在に使いこなす。
主な登場人物
Characters

チヨ
レンジュウロウの義理の娘。
半森人《ハーフエルフ》の斥候《スカウト》。
レンジュウロウ
狼人《コボルト》の侍。
“斬鉄”の二つ名で呼ばれ、
冒険者の間でも一目置かれる存在。
リック
冒険者予備学校時代からの
アストルの親友。
エインズ
元貴族という異色の冒険者。
パーティリーダーらしく
気遣いのできる男。

竜の島

生活拠点にしている塔のソファで一息ついた俺――☆1《のうなし》のアストルは、沸々《ふつふつ》と煮《に》えたぎる気持ちを抑えながら、情報の整理を始めた。

――恋人のユユとその姉であるミントが攫《さら》われた。

今すぐにでも連れ戻しに行きたいところだが、冷静さを欠いてはまた失敗してしまうだろう。

ここは反省も踏まえて一度現状を振り返るべきだ。

エルメリア王国でナーシェリア王女に関連する事件を解決して、ここ学園都市《ウェルス》に帰ってきた俺達のパーティは、奇妙な一団とすれ違った。

『ダカー派』と呼ばれる竜信仰の連中である。

その時視線を感じた気がしたが、あの時点ですでに状況は動いていたのかもしれない。

☆1という最低のアルカナを持つ身ながら、学園都市《ウェルス》で『賢人《けんじん》』の地位を得た俺を疎《うと》む者は多い。

赤の派閥《はばつ》に属するマフィア紛《まが》いの賢人マルボーナもその一人だ。

この世界において、アルカナの☆の多寡《たか》は人の価値に等しい。奴は〝☆1風情《ふぜい》〟の俺が同じ賢人という地位にあるのが面白くなかったのだろう。

そんなマルボーナに『ダカー派』からユユとミントの件で依頼があった。それがきっかけとなって、俺を罠《わな》に嵌《は》める計画が組み上がったと考えるのが自然だ。

マルボーナにとっては、一石二鳥の良い案だったに違いない。査問会で俺を足止めしている間に姉妹を攫い、『ダカー派』に引き渡した。俺には、二人を殺したと匂わせる内容の手紙をよこしたが、あれはどちらかというと嫌がらせみたいなものだったのだろう。

それで俺は、怒りと勢いに任せて、マルボーナの塔へ向かった。姉妹を殺されたと思ったから。

そして、マルボーナ本人とその塔に属する人間を、粛々《しゅくしゅく》と虐殺《ぎゃくさつ》した。古代魔法も使ったし、『クレアトリの杖』の宝珠《ほうじゅ》に宿した人工神聖存在──ミスラも呼んで、徹底的にやった。

アレは紛《まぎ》れもない虐殺《ぎゃくさつ》だ。誰にも慈悲《じひ》をかけなかったし、人間として見なかった。

しかし、そこで姉妹が生きていることがわかったのは不幸中の幸《さいわ》いだったと思う。

すでに連れ去られていなくなった後だったが、マルボーナの頭の記憶を直接ひっかきまわして、依頼主が『ダカー派』であると突き止められた。

今俺にできるのは、彼らを追う準備と……『ダカー派』の追跡に出たパーティメンバーのチヨが戻るのを待つことだけだ。


東方の『忍者』の技を使う優秀な斥候《スカウト》であるチヨが戻ってきたのは、日が傾いてあたりが薄暗くなりはじめた頃だった。

「遅くなりました。申し訳ありません」

彼女の姿を見るなり、俺は待ちきれずに問いかける。

「二人は……!?」

「姿は確認できませんでした。しかし、学園都市の南……街道を少し進んだところで例の『ダカー派』の集団を捕捉《ほそく》しました。あちらも手練《てだれ》れの斥候《せっこう》を放《はな》っていてなかなか近づけませんでしたが、あの移動速度であれば、今からでも充分に追いつけます」

姉妹の行き先を見失っていないとわかり、少し胸を撫《な》で下《お》ろす。

何も解決してはいないとはいえ、完全に行方《ゆくえ》が掴《つか》めないなんてことにならなくて良かった。

「チヨ。戻ってきたばかりで悪いが、案内を頼む」

狼人族《コボルト》の侍《さむらい》で、チヨの義理の父であるレンジュウロウが早速刀を手に立ち上がる。

「はっ。お任せくださいませ」

「ちょっと待って、チヨさん。はい、これ、アストル君考案の疲労回復茶とクッキー。一息だけでもおつきなさいな」

レンジュウロウに続き、今まさに扉を出ようとするチヨを、穏やかな女性の声が呼び止めた。彼女――パメラは、俺達パーティのリーダーであるエインズの奥さんだ。

「もう、レンジュウロウさん。女の子を気遣《きづか》うことを少しは覚えてくださいね」

「むぅ……。すまぬな、チヨ」

「いいえ、チヨに気遣いは不要ですよ、お父様。では、今のうちにルートの確認を」

チヨはクッキーを齧《かじ》りながら地図を取り出し、机に広げる。

「このルートです。『におい玉』を馬車に放っておいたので、追跡用の蟲《むし》で正確に後を追えます。

馬車は三台、全て二頭立て。周囲に警戒用の斥候が二人と、護衛用と思《おぼ》しき武装者が五人。一団の正確な人数と、どの馬車にお二人がいるのかは確認できませんでした」

追跡者としては完璧な仕事だ。

「ふむ……このルートだと、行き先は南沿岸部にある港町、ポートアルムじゃの。『ダカー派』の本拠地であるダマヴンド島へ戻るつもりかもしれんな」

ダマヴンド島は、『西の国《ウェストランド》』の南に位置する大きな島である。

一応、『西の国《ウェストランド》』の一部とされているが、その実態は『ダカー派』が支配する一つの国のようなものであり、閉鎖的で他地域との政治的な関わりをほとんど持たない。文献によると、昔は『西の国《ウェストランド》』と敵対関係にあったらしい。

「馬を使えば、最初の宿場町で追いつけると思われます」

「彼らと交渉はできそうですか？」

俺の質問に、チヨは首を捻《ひね》る。

「理由はわかりませんが、かなり警戒している様子でした。マルボーナは〝売値が付いたから攫った〟と言っておりましたし、『ダカー派』は最初からお二人を狙っていた可能性があります」

二人を攫ってきたら金を払うと依頼したというなら、それがどういう理由であれ、友好的とは言えない。姉妹に何か用事があるだけなら、俺の塔を訪れて用向きを説明すればいい。それをギャングに依頼して金で解決して連れ去るなど、後ろ暗い事情があるとしか考えられない。

つまり、奴らは〝敵〟と看做《みな》していいだろう。

「しかしよ、竜信仰なんて言いながら陸竜《ランドドラゴン》の手綱《たづな》をマルボーナに渡しちまうなんて、信者が聞いて呆《あき》れる」

俺の冒険者予備学校時代からの親友であるリックが、装備の点検をしながらぼやいた。

「それに関してなんだが、今回の件で確信したことがある」

おそらく、『ダカー派』の連中が奉《ほう》じているのは〝神格化した特定のドラゴン〟だ。それ以外のドラゴンは敵か道具程度にしか考えていないのだろう。そうでもなければ、マルボーナに支払いの一部として陸竜《ランドドラゴン》を操る魔法道具《アーティファクト》を渡したりはしないはずだ。

つまり、俺達が対峙《たいじ》した陸竜《ランドドラゴン》は単純に戦力の一つとして使役《しえき》されているだけであり、信仰の対象などではないと考えられる。

『ダカー派』にとっては〝竜と名のつくデカいトカゲ〟程度の認識に違いない。

「ふむ。なればアストルよ、その特定のドラゴンとやらにはアタリがついておるのか?」

レンジュウロウに質問された俺は、以前読んだ文献の記憶を掘り出しながら答える。

「資料が少なすぎて正しいかはわからないんですけど……『終末』関連の古文書に『アズィ・ダカー』という邪竜の記述がありました。またの名を〝終末の蛇伯《じゃはく》〟。強大な力を持った竜で、かつてこの一帯はその竜の支配地だったらしいです」

かなり曖昧《あいまい》な記述であった上に、俺が見た古文書自体も複製されたものなので、真贋《しんがん》は不明だが……正解からそう遠くないと直感している。

黙って話を聞いていたエインズがため息と共に呟《つぶや》く。

「どっちにしろ、二人が攫われた理由はわかんねぇってことか」

「ああ。そして、どっちにしろ返してもらう」

「お待たせいたしました。出立《しゅったつ》いたしましょう」

お茶でクッキーを流し込んだチヨが、準備しておいた旅荷物を背負う。

俺達もすでに準備は万全だ。旅道具に、武器、薬品、巻物、魔法道具《アーティファクト》。戦闘になることを想定した――どちらかと言うと〝討伐《とうばつ》クエスト〟に行く時のような装備品である。

相手は人間だが、話が通じない手合いであれば、単に敵であると割り切る。

そう……マルボーナ一味と同じだ。

「まずは馬を借りねばな」

「すでに声掛けをしてございます。南門そばの貸馬屋へ参りましょう」

レンジュウロウに応え、チヨが番号の書かれた木札を差し出した。

一人につき一頭借りてくれたようだ。

「わりぃ、パメラ。すぐ戻るからよ」

「焦《あせ》らないでいいわよ。いつも通り、確実、堅実《けんじつ》、執拗《しつよう》に、ね？」

「任せろ」

エインズと抱擁《ほうよう》し、軽いキスを交わしたパメラが、俺の手を取った。

「アストル君、あなたもよ？　エインズをお願いね？」

「わかっています。留守番をお願いします」

「ええ、一人になっちゃうと少し寂《さみ》しいわ。早く二人と一緒に戻ってきてね？」

パメラは微笑《ほほえ》むが、きっと不安に思っているだろう。

身重《みおも》の彼女に心配をかけるのは良くない。さっさと終わらせて戻ってこよう。

「ええ、すぐに戻ります。必ず、二人と一緒に」

「オレもいるんだ、あんまり固くなるなよ？　久々のコンビだ……オレらならやれるさ」

リックが俺の肩を軽く叩いて真っ先に扉から出ていく。レンジュウロウとチヨがこれに続き、最後に俺とエインズが部屋を後にした。

パメラを一人にしてしまうことには、良心の呵責《かしゃく》を覚えるが、戦闘になる可能性が高い以上、エインズにも出てもらわなければ、こちらが危険だ。

「すまない、エインズ」

「ナマ言うんじゃねぇ。あの二人だってオレにとっちゃ家族と一緒だ。……おめぇもだぞ？　アストル。一人だけで背負うな。危機ってのは家族全員で乗り越えるもんだ」

ニヤリと口角を上げるエインズ。レンジュウロウも頷《うなず》いて同意を示す。

「然《しか》り。お主《ぬし》、前に言っておったではないか。〝塔にいる者は家族だ〟と。なれば……ワシもチヨも、リックの坊主《ぼうず》もみな家族であろう？」

「坊主は余計じゃね？」

「未熟者は坊主で充分じゃ。怪我をせぬように立ち回れよ、リック」

レンジュウロウに頭をわしわしされて憤慨《ふんがい》するリックを横目に、俺は決意を新た一歩踏み出した。

「……ああ、家族を取り戻そう。そのためだったら、俺はなんだってできる」

◆

馬に乗って学園都市の南門を抜ける。

すでに夜の帳《とばり》が下り、西の空には小さな星明りがきらめきはじめている。

「速度的に考えて、宿場町までは移動していないはずです。人数的にも、宿場町の外で野営をしている可能性が高いと思います」

チヨが糸を括《くく》りつけた親指ほどの甲虫《こうちゅう》を取り出して説明した。これも東方伝来の忍びの技らしい。人間には感知できない特定の匂いを追うように訓練した蟲を使い、その匂いを対象に擦《す》りつけておくことで確実に追跡を行うそうだ。

……本当に、東方の技術というのは魔法とは違ったアプローチが多くて興味深い。

「チヨさん、出会《であ》い頭《がしら》に戦闘になる可能性は？」

「あちらはかなり密に斥候を放ち、警戒にあてています。この人数だと近寄れば確実に補足されるでしょう。故《ゆえ》に、もし戦闘の意思があるならば、待ち伏《まぶ》せという形をとってくると思われます」

なら、待ち伏せがあると考えて行動するべきか。

「……交渉できりゃいいんだけどな」

エインズの呟きに、俺は首を横に振って応える。

「金で解決できるならなんとかするさ。ただ、どうも二人を狙っていた節《ふし》がある。実際マルボーナも別の手持ち奴隷《どれい》を売りつけようとしていたみたいだし」

マルボーナから毟《むし》り取《と》った記憶の断片にそういう情報があった。

しかし、『ダカー派』は〝あの二人が欲しい〟と、相当の報酬《ほうしゅう》を積み上げて、強くマルボーナに依頼したようだ。あの姉妹をそこまでして欲する理由が浮かばないが、何かあるのだろうか……

それに、二人を手に入れた途端《とたん》に帰路につくというのも妙だ。

噂じゃ、あの集団は〝探し物〟をしていたはずではなかったのか？

まさか、その〝探し物〟がユユ達姉妹だった？

……いや、その線はないはずだ。

二人はエルメリア王国の王都出身で、『西の国《ウェストランド》』に来るのは生まれて初めてだった。『西の国《ウェストランド》』の島国に本拠地を構える少数民族につけ狙われる理由が見当たらない。

で、あれば……可能性としては俺への罠だろうか？

他の賢人達同様に、特異な☆１である俺に、何かしらの価値を見出《みいだ》したのかもしれない。

だが、マルボーナに対して俺の身柄《みがら》を要求していた様子はなかった。マルボーナにしても、俺についてては他の賢人に〝レンタル〟するための商品と考えていたようだし。

いずれにせよ、判断材料が少なすぎる。

そして、どんな実情や事情があろうとも……二人を取り返す。

もう一山《ひとやま》、〝死体の山〟を築いても、だ。

焦燥《しょうそう》に追い立てられながらも、冷静さをなんとか保《たも》って馬を駆《か》る。バーグナー冒険者予備学校で、冒険者の嗜《たしな》みとして教えられた乗馬がこんな場面で役立つとは、人生わからないものだ。

しばし無言で仲間達と街道を駆けていく。

この一帯は学生の課題や冒険者ギルドの依頼として魔物《モンスター》や野盗の討伐が頻繁《ひんぱん》に行われることもあってか、それらに遭遇《そうぐう》することはなく、俺達は街道を最速で走り抜けた。

「……！」

先頭を走っていたチヨが不意に馬の足を止める――いや、止められた。

暗闇に目を凝《こ》らすと、特徴的な服装の人影が街道に立ちはだかっているのが微《かす》かに見える。

しかし、月の光に照らされているはずなのに、その姿を上手く捉《とら》えられない。

どうやら、相当手練れの斥候のようだ。

チヨの前に出たレンジュウロウが、馬上から彼らを見下ろして問う。

「……お主ら、『ダカー派』の者か？」

「それに答える義理はない」

服装とその答えが、すでに『ダカー派』であると明言しているようなものだが。

「マルボーナから不法に買い付けた者を、返していただきに参った」

口を閉ざしたまま、うっすらと殺気をにじませる二人組に、レンジュウロウが牙を見せて唸《うな》る。

「あまりワシをやる気にさせるなよ、小童《こわっぱ》ども。ワシは今、気が立っておる」

後ろにいる俺にもわかるくらい濃い殺気が、レンジュウロウの全身から放たれるのがわかった。

二人組は一瞬それにたじろいだものの、退《ひ》く様子はなく、こちらを睨《にら》みつけてくる。

「……渡さぬ。我らの真なる世界のために。失《う》せよ、簒奪者《さんだつしゃ》の末裔《まつえい》よ」

「何を……ッ！　二人を返せ。お前達の都合など……知ったことじゃないぞ！」

俺の言葉を宣戦布告と見たのか、二人組が曲刀を抜く。

「……奥からも来ます！」

夜目の利《き》くチヨさんが、増援を警告する。

この部隊展開の速さ、魔法か何かを使ってこちらの様子を窺《うかが》っていたのかもしれない。

「真なる、神聖なるアズィ・ダカーの名において汝《なんじ》らを〝浄滅《じょうめつ》〟する」

「難しい言葉使ってんじゃねえよ！」

馬から飛び降り、双剣を抜いたリックが、曲刀の片割れと戦闘を始める。

増援から矢が数本飛来するが、〈矢避けの護り《ミサイルプロテクション》〉に阻《はば》まれて地面へと落下する。

突然の戦闘開始でも問題はない。すでに強化は完了している。

「やっぱりこうなんのかよ！　まあいい、こいつら叩きのめして奪い返すぞ」

「わかりやすくていいぜ！　おらおら！　どきやがれ」

エインズの言葉に口角を上げて応えたリックの姿が、かき消える。

いや、速すぎて俺では追えなくなっただけだ。

〈敏捷強化《アジリティ・エンチャント》〉〈迅速《クイック》〉〈倍速《ヘイスト》〉でスピードを強化されたリックが、自身のユニークスキルである【隼《はやぶさ》の如《ごと》く】を使えば、もはや常人では捉えられない。手練れであっても、この状態のリックを押し止めることは相当に難しいだろう。

さて、俺は俺で増援の対処にあたろう。冷静に、確実に……

マルボーナ塔で少しばかり人の命を刈《か》り取《と》りすぎたせいだろうか？　〝穏便に〟という単語が頭に浮かんでこない。

マルボーナはともかく、『ダカー派』の連中には直接的な恨みを持っているわけではない。

実際、剣を抜かれるまで話し合いで解決して……姉妹が必要などうしようもない事情があるなら、彼女達の身柄と引き換えに何か協力できれば、とすら考えていた。

だが、いざこうして戦いが始まってしまうと、妙に心が澄《す》んでいく。濁《にご》りなき純粋な殺意が、俺の意識を冴《さ》えさせていくと感じた。

……それでも、そんな本能じみた感覚を抑えて、目の前の増援部隊数人に語り掛ける。

「二人を返してくれませんか」

「邪魔をするな！　鱗《うろこ》なき者よ！」

拒否の言葉を放った手前の弓兵に、拾った石を〈必中投石《ストーンスロー》〉で撃ち込む。

得物を持つ利き腕の肘《ひじ》から先を吹き飛ばされた弓兵が、悲鳴を上げてうずくまった。

「こっちの台詞《せりふ》だ。邪魔をするな……！　あの姉妹《ふたり》は俺のモノだ……ッ！」

俺はそのまま魔法式の構成に入る。

「*Tio igis la ŝtonon de gruzo. Eksaltis, krude verŝas!*（これなるは石の礫《つぶて》。飛び上がり、無作法《ぶさほう》に降り注ぐ！）――〈石の雨《ストーンレイン》〉」

ランクⅢ魔法を、いくつかの魔法節を破棄して唱える。唱えなかった分の魔法節は脳内で処理を行なった。バーグナー伯爵家を飛び出してきた冒険者予備学校時代の友人——ミレニアとの魔法の特訓が、意外なところで効力を発揮している。

スキルによる詠唱の高速化とは、すなわち魔法節の処理速度の加速だ。それを『無詠唱化』で代《だい》替《たい》して脳内で処理すれば、ハイランクの魔法の場合はどうか……という発想でもって研究していたのだが、ぶっつけ本番にしては上手くいった。

「ひっ……うあぁッ！」

「ぎぃああ！」

大小さまざまな石がスコールのように降り注ぎ、数名からなる増援部隊を呑み込み、叩き潰していく。

小型の盾を構えて要所をカバーする者もいたが、いかんせんこの魔法を防ごうと思えば、体をまるごと隠せるタワーシールドでも持ってこなければ無傷とはいくまい。

「投降を」

俺の短い促しに反応し、増援部隊が立ち上がって武器を捨てた。

俺は胸を撫で下ろす。何も、楽しんで殺したいわけじゃない。殺さないで済むならそれに越したことはない……と、トドメを刺したい衝動に駆られる自分を納得させる。

それにしても丈夫な連中だ。あれだけの石礫に打ち据えられてまだ立ち上がってくるなんて。

「鱗ナキ者ヨ……！」

捕縛《ほばく》の魔法をかけようかというその時、粗い金属をすり合わせたような声が目の前の男の口から漏れた。

……何かおかしい。

「ギィアァアアアッ！」

絶叫のような咆哮《ほうこう》を上げて男がうずくまる。

その背中が盛り上がり、男の顔が……いや、全身の肌が黒く変色していく。

身につけた外套《ヒマティオン》を裂《さ》きながらその体が巨大化し、黒く変色した肌が徐々に鱗に覆われていくのを見て、俺は納得し、そして戦慄《せんりつ》した。

奴らが口にした〝鱗なき者〟とは、せいぜい、信者でないものを指す言葉くらいにしか考えていなかったのだが、文字通り鱗を備える姿に変身するなんて予想外だ。

「鱗ナキ者ヨ……！　見ヨ、コレガ救イデアル」

金属質な声で話す男のその顔は、蛇かトカゲを思わせる爬虫類《はちゅうるい》めいた風貌《ふうぼう》になっていた。体は梟熊《アウルベア》などの大型の魔物よりも大きく、指先には強靭《きょうじん》そうな爪を備えた姿に変化している。

「蜥蜴人《リザードマン》か？　いや、それにしては人としての要素が少ないな」

蜥蜴人《リザードマン》は、『西の国《ウェストランド》』のさらに西、『ウェストエンド諸島』に一大勢力を構える獣人族だ。彼らもドラゴンを信仰しており、その隠された神殿の最奥《さいおう》には本物のドラゴンがいると言われている。

「我ハ竜トナル者！　『アズィ・ダカー』ト共ニ歩ム者！　スナワチ『竜従者《ディーヴ》』ナリ」

蜥蜴人《リザードマン》扱いがお気《き》に召《め》さなかったのか、変異した男――『竜従者《ディーヴ》』が口から緑色の炎を覗《のぞ》かせる。

〈水幕《ウォータースクリーン》Ⅱ〉。続いて、〈耐火《レジストファイア》Ⅱ〉

無詠唱で二つの魔法を自分にかけながら身をよじる。

吐き出された炎が、俺をかすめるが……よし、大《たい》したダメージではなさそうだ。

常駐《じょうちゅう》させた強化魔法の上からこれらを使用すれば、それほど脅威《きょうい》ではない。

「無事かよ、アストル！」

突然、リックが俺の隣へと現れた。なかなか心臓に悪いな。

「一人で飛び出しおって、ヒヤヒヤさせるでないわ」

レンジュウロウの小言を軽く流し、リックが視線で『竜従者《ディーヴ》』を示す。

「さっきの奴らは片付けた！　で、コイツはなんだ？」

「気をつけろ……人間に化けた小型の『竜《ドラゴン》』らしい」

俺の言葉を聞いたリックが息を呑むのがわかった。

冒険者にとってドラゴンとは憧《あこが》れの有名魔物《モンスター》であると同時に、迷宮で絶対に出会いたくない存在だ。それが目の前に三匹……。

今や五人いた増援のうちの三人が、その姿を醜悪《しゅうあく》な『竜従者《ディーヴ》』へと姿を変えていた。

残った二人は変異しないようだが、何か理由でもあるのだろうか。

「何を冷静に……！　人が物《もの》の怪《け》に変わるなど！」

レンジュウロウが普段は見せない焦った様子で大槍を構える。

「アストル、ミントの気配はどうだ？」

体ごと俺達の先頭に滑《すべ》り込んだエインズが、盾を構えたまま背中で俺に問う。

「感じるが、弱い。眠らされているか、魔力を遮断《しゃだん》する魔法道具《アーティファクト》があるかだ……。いずれにせよ、こいつらを叩いて馬車のところまで行かせてもらう！」

俺の言葉に反応したのか、変異した者達が一斉に動き出した。

チヨの姿が見えないのは、逆に安心だ。おそらく、二人の救出に向かってくれているのだろう。

「来いよ、トカゲ野郎！　見切れるもんならな！」

リックが【隼の如く】を使って加速する。

次の瞬間……『竜従者《ディーヴ》』の一人が小さく血しぶきを散らす。

「くっ、浅いな……！　鱗がかてぇ」

「鱗ナキ者ヨ……！　コノ姿ヲ見タ以上、生キテ戻ルコトハデキヌ」

リックに迫るその巨体に、大槍が深々と突き刺さる。レンジュウロウが投げた大槍だ。

「笑止！　面食らいはしたが、お主ら程度……我が伏見流《ふしみりゅう》の敵ではないわ……！」

刺さった槍をそのままに、レンジュウロウが腰の刀に手をかける。

その瞬間、ぞわりとした怖気《おぞけ》が背中を駆け抜けた。

「――徒花《あだばな》と散れ」

てっきり【必殺剣・抜刀】を使うのだろうと思っていたのだが、違った。

殺気が膨《ふく》れ上がり、それが実体化するかのような鋭利《えいり》さをもって周囲を威圧する。

「我……全ての戦場で駆け、全ての戦場で斬り、全ての戦場を絶つ者也《なり》」

それはあまりにも非現実的な剣技だった。

神速の抜刀斬りから回転斬撃、流し斬り……そして最後は飛翔《ひしょう》するが如き斬り上げ。

そのどれもに、一撃必殺の要素が詰まったものであるのは誰の目にも明らかだった。

「──殺撃《さつげき》の太刀《たち》、『花鳥風月《かちょうふうげつ》』。ここに相成《あいな》らん」

「クカッ……ギギギギ……ギ、キィ……」

斬られた『竜従者《ディーヴ》』が徐々に傾いていく。その体がいくつかに分断されてズルリと転がるのに、そう時間はかからなかった。

「まずは一つじゃ。アストル、お主は行け」

「でも……！」

「構わぬ。ワシもな、いささか頭にきておるのよ。今宵《こよい》は、侍ではなく武者として立たせてもらう」

ちらりと見ると、エインズとリックが俺に目配《めくば》せしてくる。

「この程度ならオレらで充分だ。ただし無茶すんじゃねぇぞ！」

「……わかった。先行する！」

俺は三人に頷いて、野営があると思われる方角へ街道をひた走った。

◆

焚火《たきび》に照らされた数台の馬車が見える。

周囲には物々しい様子で警戒している者がいるが、幸い俺は気付かれることなくそれらを視界に入れられた。

付近の背の高い草むらに隠れ、〈望遠《スコープ》〉の魔法で様子を窺う。

そこに、チヨがするりと影から姿を現した。

「……ずっと見てまいりましたが、どの馬車かは見当が付きませんでした。申し訳ありません」

「手薄なところは？」

「裏に回り込めば多少手薄ですが、馬車は一箇所に固まっておりますので……」

「正面突破しかないか」

『魔法の小剣《オーティア》』を握《にぎ》りしめて、妙案がないか模索する。

弱々しいとはいえミントの気配がする以上、あの集団の中に姉妹が囚《とら》われているのは間違いないはずだ。

「お父様達は？」

「変異した連中と戦闘中です」

チヨがはてと首を捻る。

「変異……？　人ではないのですか？」

それに関しては、俺にもよくわからない。

あの『竜従者《ディーヴ》』が人に化けているのか、人が『竜従者《ディーヴ》』となるのかは不明だし、体を構成する理力《オド》を別物へと作り変えるのは、熟達の魔法使いでもないかぎり、簡単なことではない。

「とにかく、奴らのうちの何人かは馬車くらいのデカさの小型の竜《ドラゴン》に変異すると思ってください」

「承知いたしました。さて、どうしましょうか」

このままエインズ達が追いついてくるのを待つのも手だが、集団の様子が少しおかしい。

警戒態勢が厚い上に、何か作業をしているようにも見える。

「……まさか」

「はい。一部を先行させる準備に見えます」

その〝一部〟に姉妹が含まれているとすれば、待っている間に逃げられてしまうかもしれない。

『竜従者《ディーヴ》』の耳障《みみざわ》りな咆哮でこちらの馬は逃げてしまったし、一度軽い馬車で走り出されれば、疲労した俺達では追いつけない可能性がある。そのまま船になど乗られたら、ミントの命は確実に失われる。何しろ、以前一度死にかけたミントは、俺との〝繋がり《リンク》〟がないと魂《たましい》を維持できないのだ。

それに、そんな事情がなかろうと、ユユだってどうなるかわかったものじゃない。

「仕掛ける」

「はい。わたくしが撹乱《かくらん》と陽動を行います。おそらく出発の準備をしているあの馬車に二人がいるのでは？」

たしかに、今荷物を下ろして軽くしている馬車に二人がいる可能性は高い。

あの馬車さえ足止めできれば——あるいは、馬と馬車を使い物にならなくすれば、二人を運ぶ手段がなくなるだろう。

「あの馬車を押さえて、残りの馬車には火を放つ。馬は可哀想《かわいそう》だが、殺してしまおう。足を奪えば容易に動けないはずだ。〈煙幕《スモッグ》〉の魔法で視界を悪くして、騒ぎに乗じて二人を奪還する」

「了解いたしました。では、これを」

チヨが丸い何かを俺に差し出した。

「これは？」

「煙玉です。魔法の〈煙幕《スモッグ》〉のように視界を遮《さえぎ》りますが、魔法ではないので〈魔法解除《ディスペルマジック》〉で散らされません。おそらくですが、魔法使いが潜んでいると思われますので」

煙玉を受け取って頷く。そして、ありったけの強化魔法をかけて、タイミングを計る。

「距離と場所の確認はよろしいですか？」

俺は頷いてチヨに答える。

「魔法で視覚を確保しますので、大丈夫です」

「では、参ります」

続けざまに二つ煙玉を投げ込んで駆けていく彼女に続いて、俺も馬車の方向へ向かって煙玉を放り投げる。動くものにぶつけろと言われれば難しいが、これを投げるくらい俺にだってできる。

……少し逸《そ》れたけれど問題はない。

魔法で強化された敏捷性でもって、目標の馬車へと走る。

護衛らしい人影は二人。立ちこめる煙に警戒して周囲を見回しているが、俺の姿は見つけられていないようだ。

俺は発動待機《ストック》していた〈麻痺Ⅱ《パラライズ》〉をユニークスキルの【反響魔法《エコラリア》】による繰り返し込みで護衛一人に対し三度ずつ放つ。

この深度の麻痺《まひ》になると、ちょっとした呼吸困難などを引き起こすかもしれないが、いきなり命を取るよりはましだろう。抵抗するならそのまま魔法で窒息死《ちっそくし》させればいい。

「ギギギギッ」

麻痺しているはずの一人が、例の金属質な唸り声を上げる。

馬車の護衛に変異できる者を一人付けていたか……！

距離を詰め、変異しはじめた頭部に向かって二度、〈魔突杭《エーテリック・パイル》〉を撃ち込んで沈める。竜の眷属《けんぞく》といえど、さすがに頭を吹き飛ばされては生きてはいないだろう。

変異しない見張りについては、放っておいて馬車に近づく。

準備をしていた馬車には、騒ぎの中で慌《あわ》てながら作業する者達の姿があった。

武装はしていないので、おそらく護衛ではないと思うが、邪魔をされても面倒なので、〈眠りの霧《スリープミスト》〉の魔法を周囲に流しておく。

数人がふらふらと動きを止め、膝をつく。魔法の効きからして、やはり非戦闘員だろう。

……ただ一人を除いては。

「ネズミがいるようだな？」

馬車の最も近くで指示を出していた褐色《かっしょく》の肌の若い男が、鋭《するど》い視線で俺を捉えた。

手練れであることが一目でわかるほどに、その所作《しょさ》は洗練《せんれん》されている。

武装はしていない。魔法使いの類《たぐい》だろうか。

「……二人を返してもらう」

「ああ、そういえば……あの時『運命子《さだめご》』と共に居た小僧か。返すも何も、『カダールの子ら』は元より我らの血脈の者。一族の定めを果たすために国へ戻るのは、当然の務めであろう？　簒奪者の末裔の薄汚い法に従って手切れ金までくれてやったというのに」

「マルボーナのことを言っているなら見当違いだ。あいつは人でなしの人攫いで、俺とはなんの関係もない！」

俺の言葉に、男は盛大にため息をついて見せる。

「鱗なき者よ、痴《し》れ者《もの》よ。お前が、お前達がどう取《と》り繕《つくろ》おうが、カダールの『運命子《さだめご》』は我らの宝で財産だ。不当に奪われたものを取り戻すことになんの問題がある？　お前達は土地を奪った上に一族、家族まで奪い尽くそうというのか？」

平行線どころじゃない。話自体が通じていないようだ。

「どういうことだ、二人は王都の出身だぞ！　お前ら『ダカー派』となんのかかわりがあるって言うんだ!?」

「お前達薄汚い簒奪者が島に入り込んで奪い取っていったのだよ！　『運命子《さだめご》』の血族であるカダールの女をな！　あの髪と瞳……それに香りでわかる。あの二人は我らが悲願となるカダールの『運命子《さだめご》』だ」

二人が以前話していた〝母親の故郷〟とは……まさかダマヴンド島だったのか？

しかし、ユユ達の母親は逃げ出したと言っていたはずだ。

……となれば、母親が逃げ出したような場所に二人を戻すわけにはいかない。

「二人の意思を無視して連れ去ることに、一族も家族も悲願もあるものかッ！　二人を返してもらうぞ！」

踏み込んだ俺を前にして、男が構える。

「愚かな。話も通じぬとは……。蛮族の簒奪者どもは、相も変わらず厚顔無恥《こうがんむち》というわけか」

次の瞬間、目の前に男の姿があった。

「遅く、拙《つたな》い」

「あぐ……？」

その拳《こぶし》が俺の右頬《みぎほお》を捉え、俺は回転しながらその場に転倒する。

発動待機《ストック》していた〈風圧《エアプレッシャー》〉を利用して即座に体勢を立て直したが、これはまずい。

顎《あご》がガタつく。口の中が切れて、徐々に血の味が広がっていく。

……武器を持っていないのではない、徒手空拳に特化したタイプだったようだ。

しかも、相当な手練れ。レンジュウロウのような、強者《つわもの》の佇《たたず》まいがあの男にはある。

だからと言って退くわけにはいかない。ユユもミントもすぐそこだ。

「珍妙な技を使う。しかし、それでは吾《おれ》には勝てんぞ。見逃してやる……と言いたいところだが、同胞《どうほう》を討《う》たれたのだ。ただで帰すわけにはいかんな」

「逃げるものか。そうはさせない。……ユユも、ミントも返してもらうぞ」

「何度も言うが、あれらは我らがアズィ・ダカーに捧《ささ》げられるべき大切なカダールの『運命子《さだめご》』だ。お前のものではない」

……捧げる？　生贄《いけにえ》だというのか？

「バカな……イカレてる！　野蛮《やばん》なのはお前達の方じゃないか！　二人をなんだと思っているんだ!?」

〈魔法の矢《エネルギーボルト》〉を連射しながら、駆ける。

「我らの悲願を達成するカダールの『運命子《さだめご》』だとも。最高の栄誉《えいよ》と幸福が約束されている。我らの信仰を、愛を、理解できぬからと糾弾《きゅうだん》し、追いやったお前達簒奪者にわかってもらおうとは思わぬがな！」

男は魔法弾を素手で弾き飛ばしながら、俺をゆっくりと追う。

一人で相手取るのは難しい。エインズ達の助けが必要だ。

とにかく、今は逃がしさえしなければいい。この膠着状態《こうちゃくじょうたい》をできるだけ長く続けるのが最善手だ。

「時間稼ぎ……のつもりか？　こちらも準備は整ったので、構わないがな」

「なに……？」

男ばかりを追っていて、馬車の方を確認していなかった。

いつの間にか、馬車に繋《つな》がれていた馬が消え、代わりに荷台に複数のロープが掛けられている。

そして、その上空では二匹の翼竜《ワイバーン》が翼をはためかせていた。

「ユユ！　ミント！」

ふわりと浮き上がる荷台に向かって叫ぶ。

「さらばだ、簒奪者よ。殺せなかったのは惜しいが……吾《おれ》にも優先順位というものがある」

そう言い残し、男は最後に残ったロープにつかまって空へと飛び上がった。

「待て！」

「断る。大願成就《たいがんじょうじゅ》のため、我らが悲願達成のため……お前ごとき俗物《ぞくぶつ》に構っている暇《ひま》などない」

男と荷台の高度が上がり、徐々に遠くなっていく。

「くそッ！　何か……」

周囲を見渡すが、残った馬車しかない。

まだ戦場の只中《ただなか》にいるというのに、虚脱感《きょだつかん》と絶望感が心を溺《おぼ》れさせていく。

なんとか踏み留まって、戻ろうとする俺の耳に小さな声が届いた。

「あなた……こっちへ……！」

残された馬車の一つから、人影が手招きしている。

罠かもしれないと思いつつも、俺は警戒したまま馬車へ近づく。

馬車から顔を出しているのは、壮年の女性だ。敵意はないように感じられる。

「非戦闘員なら、おとなしくしていてくれ」

「あなたがアストルさん？」

女性は真っ直ぐ俺を見つめてそう尋ねた。

「……？　そうだ」

俺の返答に、女性が馬車の中にいる誰かに頷くのがわかった。

何か攻撃があるのかと思い身構えたが、数人の女性が俺の前に運び出したのは、白いシーツのようなものでぐるぐる巻きにされたベリーショートの少女だ。

短くなったストロベリーブロンドの髪は不揃《ふぞろ》いで、顔には少し擦り傷があるが、命に別状はなさそうだ。

「ユユ……！」

急いで駆け寄って、抱き上げる。

意識はないようだが、その温かな体温はユユがまだ生きていることを俺に実感させた。

「どうして？　いや、それよりも……。ありがとうございます！」

俺は敵であるはずの相手に深々と、そして無防備に頭を下げる。今この瞬間に襲われでもしたら一巻の終わりだとわかっていながらも。

「ミントさんに頼まれたのよ。なんとしても、って」

「ミントが……!?」

「私、この子達の遠縁にあたるの。二人の母親のことだって知っているわ。ミントさんが妹だけはどうしても……もうすぐ結婚するんだって。それを聞いて、私達協力することにしたの。それでミントさんと一緒に一芝居《ひとしばい》打ったのよ」

女性曰《いわ》く、ユユの髪の毛と服、それに綿や藁《わら》で人形を作ってカモフラージュしたらしい。

「くそ、ミントめ。また悪い癖《くせ》が出たな」

ミントは少し自己犠牲《じこぎせい》が過ぎるところがある。今回も、自分のことは何も考えていない。

長い間俺と離れていれば、死んでしまうんだぞ……お前。

「ユユさんはあえて起こさないでいたの。起きたらきっと反対するからって、ミントさんがね……。もうすぐ薬が切れるから安心して。髪の毛、綺麗《きれい》だったのにごめんなさいね」

「いいえ。みなさんに心からの感謝を。……でも、こんなことをして大丈夫なんですか？」

「男達はいつも自分勝手よ。アズィ・ダカー様の降臨は変革をもたらすでしょうけど、きっと世界に傷をつけることになる。私達は日々の生活で幸せならそれでいいの。男達にはそれがわからないのよ。いつまでもこぼれ落ちたものを追いすぎる……。今回のこれは、私達の小さな反乱でもあるわ」

女性がしわの深くなりはじめた顔に寂しげな笑みを浮かべる。

『ダカー派』も一枚岩ではないようだ。

「ここで大人しくしておいてください。少なくとも怪我《けが》をすることはないでしょう」

「私達は少ししたら南へ向かう。島に帰るの」

「いいんですか？」

「その生き方しか知らないのよ。それに家族が……一族がいる。衰退《すいたい》して滅《ほろ》びゆくとしても、私達は最期まで『ダカー派』として生きるわ。さぁ、一旦退いてくださいな。お互い、これ以上の戦いは必要ないでしょう？」

この女性の方が俺達より、よほど状況が見えている。

俺は再び深く頭を下げると、ユユを担ぎ上げ、背の高い草原地帯に身を隠しながら戦闘区域を避けて街道を戻った。

◆

「ん……」

戦闘を引《ひ》き揚《あ》げて撤退《てったい》した先、ウェルス方面へと少し街道を戻ったところ——追跡案を練るために作った簡易の野営地——で、ユユが目を覚ました。

「……ここ、どこ……お姉ちゃんは……？」

ぼんやり周囲を見回すユユ。

「ユユ、目を覚ましたか」

「アスト、ル？　無事、だったんだね？」

ユユが俺の頬を撫でる。

「ああ、俺はなんともない。でも、すまない……ミントが」

「……！　そう、だった。ユユ達、煙に包まれて、そこから覚えてない。どうなったの？」

「まずは落ち着くのじゃ、ユユ。お主も知恵を貸してくれ」

レンジュウロウがユユに湯気の立つカップを渡しながら宥《なだ》めた。

それを口に含み、再びユユが俺を見る。

「二人が呼ばれたあの面談は、マルボーナの罠だった。取り返しに行った時すでに二人は『ダカー派』に攫われた後で、俺達はそれを追った」

「『ダカー派』？　そう、あの人達が……」

「ユユは協力者がいて助けられたけど……ミントは連れ去られた」

「ん。助けに、行こ」

すぐさま、ユユは広げている地図に目を走らせる。

彼女は学園の講義で地理を学んでいるので、こういう作戦の立案には欠かせない知識を持っている。

「この赤い点……ダマヴンド島……？　聞いたこと、ある。そうだ、母さんの故郷……！　ああ、そう……なんだね」

ユユは地図に指を滑らせながら、何かを確認するようなそぶりを見せる。

「双子の花嫁……二つの魂の共鳴、王女達の依り代《よしろ》……。そう……うん」

小さく呟き、何かを納得した様子で頷く。

「大体わかった、よ。急がないと、ダメ」

やり取りを聞いていたエインズが、困り顔で首を傾《かし》げる。

「何がわかったんだ？　オレにわかるように説明してくれや、ユユ」

「ユユとお姉ちゃんは『運命子《さだめご》』って呼ばれる、特別なカダールの血族の姉妹。竜の神様に捧げられて、その両翼になることを、定められた者……それが、ユユ達」

ユユの説明は、あの男のいくつかの言葉とも合致《がっち》する。

どうして、急にそんなことを……と思ったが、俺は口を挟《はさ》まずに続きを促す。

「いろいろ思い出してきた。母さん、〝伝承〟させた、のね……」

「伝承？」

思わず聞き返した俺に、ユユが頷く。

「母さんの……ううん、カダール一族のユニークスキル。知識や技術、記憶を血族に受け継ぐスキルが、ある。このタイミングで、思い出したことにはきっと、意味がある」

それは儀式を成就せよという願いか、それとも阻止せよという意志か。

いずれにせよ、姉妹を犠牲になんてできない。採るべき選択は阻止一択だ。

「……母さんは、きっと止めたかったんだと、思う。島から、逃げたくらいだもの」

「じゃあ、止めよう。どっちにしたって、ミントは絶対に取り戻す」

「ん。ユユも、行く」

「それは……」

危険だ──と、動きそうになる口を噤《つぐ》む。

本当は連れて行かない方がいいんだろう。取り戻したユユを、危険なダマヴンド島に連れていくことにどれほどのリスクがあるかなど、わかっている。

だが俺は、彼女の瞳に映る決意に抗《あらが》えなかった。その瞳は、姉であるミントを助けることも、母の願いを繋ぐことも命を懸けるに値《あたい》するのだと、強く語っている。

「……わかった。今度こそ、俺が守るよ」

「ん。信じてる。アストルなら、大丈夫」

軽く抱きついてくるユユの頭をやんわりと撫でる。

髪の毛が短いせいか、いつもと触り心地が違う。

「む、髪……ない？」

「ないんじゃない、短くなったんだ。この髪型も似合ってるよ」

「じゃ、いい」

ユユが落ち着いた頃を見計らって、エインズが切り出す。

「話がまとまったんなら、作戦会議を続行すんぞ。おそらくダマヴンド島に向かった連中を追わにゃならん。ミントの生存タイムリミットはどんなだ、アストル？」

「理力《オド》漏出《ろうしゅつ》が始まるのが早くて一週間、漏れ出してから動けなくなってから魂が離れるまで三日……ってところだな。これはミントが安静状態を保っていればの話だ。怪我をしたり、何かしらの影響で魔力《マナ》を抜かれたりしたら、さらに早くなる」

つまり、最悪でも二週間以内にはミントとの繋《リンク》がりが感じられる位置まで接近せねばならない。

レンジュウロウが難しい顔で唸る。

「地図によると、ここからポートアルムまで約五日。そこから船で二日ほどの距離じゃが……」

馬はすでに逃げてしまっている。『ダカー派』の馬を拝借するのもいいかもしれないが、迂闊《うかつ》に戦闘をしてこちらに被害が出るのは避けたい。

「ここから、少し西へ行って、旧街道のメドナ村に行こ。あの集落は大きいから、きっと馬を、借りられる」

ユユが地図を指でなぞって示した地点を、レンジュウロウと俺が覗き込む。

「遠回りになるが……馬がある方が何かと良いかもしれん。馬車が借りられればもっと楽だがの」

「どちらにせよ、こっちの街道は『ダカー派』の連中に遭遇する可能性が高い。なら、旧街道で南下してポートアルムへ向かう方が安心だ」

無駄な戦闘は避けたいし、何よりあの協力的な女性達を戦いに巻き込むのは好ましくない。

「じゃあ、そうしようかの。警戒中のチヨが戻ったらすぐに移動を始めるとしよう」

「お、話決まった?」

見張りに立っていたリックがこちらを振り返る。

「ああ、この街道は進まないで、西にある旧街道を進む。可能ならば馬か馬車を手に入れるつもりだ」

「遭遇避けにはいいんじゃね? あの『竜従者《ディーヴ》』とかいうの、手強《てごわ》いしな……。足止めに回られたら厄介だ」

なんだかんだ言いながら、リックは冷静に戦力差を分析している。

勝てない相手ではないが、あの連中に延々と時間稼ぎをされれば、時間と体力が足りなくなる可能性が高い。奴らは人数でも上回っているので、夜でも奇襲を仕掛けてくるだろうし、休む暇がなければこちらとて疲弊《ひへい》していく。

俺にしても、今日一日で魔力《マナ》を使いすぎて、もう魔力枯渇寸前《マナエンプティ》だ。この先も戦闘があることを考えれば、道中の余計な戦闘は避けなくてはならない。

「じゃあ、起きたばっかりですまないが……行こうか、ユユ」

「ん。だいじょぶ」

「その……辛《つら》いかもしれないけれど、儀式についても教えてくれないか？」

「わかってる。ユユだけじゃ、止められない。けど……アストルと一緒なら、きっといける。お姉ちゃんも助けて、儀式も……止める。でないと……」

言《い》い淀《よど》んだユユが、意を決したように口を開く。

「世界が、滅びちゃうかもしれないから」

「世界が、滅びる？」

ユユが発した一言が、引っかかる。どこかで聞いたフレーズだ。

……そう、俺が『光輪持つ炎の王《アータル・クワルナフ》』をスキルで完全に顕現《けんげん》させた時、元伝説級の冒険者の母に言われた言葉だった。

「えー、と……アストルは『ヴェンディの書』読んでた、よね？　封印図書の」

「ああ、世界の終焉《しゅうえん》を引き起こす十六の災厄《さいやく》の……」

「その起点となるのが、『アズィ・ダカー』の復活、なの」

『ヴェンディの書』は『ダカー派』を調べる際に当たったいくつかの資料のうちの一つだ。

読んだ時は〝滅亡〟だの〝終焉〟だの、あげくに〝永遠の闇〟などという物騒な言葉が頻出《ひんしゅつ》する胡散臭《うさんくさ》い内容の古文書というイメージしかなかったが。

しかし、確かにあの書物の中には『アズィ・ダカー』の名が出ていた。

この竜とも蛇とも見える有翼の神が降臨すると、内容は不明だが『十六の災厄』が人類にもたらされ、真に正しき者以外は全て滅び去り、世界は闇に閉ざされる。

生き残った者達は王となった神と共に、永遠の命が約束される……とも書いてあった。

「話がデカくなってきたな」

リックがついていけないといった様子でこぼした。

「なに、やることは簡単だ。儀式にミントが必要っていうなら、取り戻してご破算にする。ついでに島ごと焼き払って、二度とそんな気が起きないようにしてやればいい」

その言葉を聞いたユユが、俺の手を握る。

「アストル、ちょっと……ヘンだよ？　少し、怖い」

「俺は、俺だよ。でも少し……ほんの少し頭に来てるだけだ」

「ユユ達の、せいだね？」

「そういうわけじゃ……」

ユユは言い淀む俺の目をまっすぐに見てから、手を伸ばして俺の頭をくしゃりと撫でる。そしてそのまま、抱きついて薄く口づけをした。

頭の奥の方で明滅《めいめつ》していた怒りや絶望が、それですっと引いていく。

「ユユ……」

「だめだよ。無理をしたら、アストルが歪《ゆが》んじゃう」

そうか、俺は無理をしていたのか――抱擁されたまま納得する。

指摘され、拭《ぬぐ》われて、初めてそれに気が付いた。人を殺すことに、情け容赦《ようしゃ》のない行動をとるために、俺はいくつかのモノを捨てた。捨てなければ心がついていかなかったのだと思う。

それなのに、ユユはことともなげにそれを拾い上げてみせた。

本当に、この娘は……俺にとっての全てなのだと実感させられる。

「うん。ありがとう、ユユ。少し冷静になった。ミントを助けて、儀式自体を阻止する。……良い方法を考えよう」

「ふむ、いつものアストルが戻ってきたのう？　修羅《しゅら》の如き気配が失せておるわ。どうやったのだ、ユユ？」

「ヒミツ。アストル限定。チヨさんにも教えておく」

「チヨに？　ワシではなく？　ふむ……難解なことよな」

レンジュウロウに小さく微笑むユユを見て、俺は少し不思議に思った。

ユユはもっと狼狽《ろうばい》するものだと思っていたが、とても静かで穏やかだ。

「ミントが攫われて、不安じゃないのか？」

「少し不安だけど、ユユは、アストルとみんなを信じてる、から。アストルは、いつだって無理も不可能も、覆《くつがえ》してきたもの」

目を瞬《しばたた》かせる俺に、ユユは再び微笑んで呟く。

「アストルは、すごいんだから」

その言葉が、俺の心の深い部分に浸透していく。

俺は俺自身の評価を変えない……いや、変えられない。それは俺が持って生まれた『不利命運《ディスアドバンテージ》』と呼ばれる性質で、今後も変えることは難しいと言われた。

だが、ユユが……俺の手を引いて導くユユがそう信じるのであれば、俺はそうあらねばならない。

ユユが信じるに値する俺でなくてはいけないのだ。そして、彼女のためなら、俺はきっとそうできる。

「わかった。今度も上手くやれるように、いろいろ考えてみよう」

ユユに頷いて、早速少し考える。

根本的な解決が必要だ。

ユユとミントを必要としている以上、儀式そのものを破壊してしまうしかない。

あるいは、伝承者全員の記憶からそれらの知識をごっそり抜き出してしまうか。

あの女性達のこともある、できるだけ殺さずに済む方法を考える。

どうしようもなくなった時は、自分の手を汚す。

姉妹がその責を負わないように、秘密裏に。

「……お待たせいたしました。周囲の警戒が終わりました。魔物《モンスター》の小集団がおりましたが、すでに処理済みです」

斥候から戻ってきたチヨを、レンジュウロウが労《ねぎら》う。

「ご苦労。ルートの確認もできておるかの？」

「すでに。そう遠くない場所に野営に適した場所がありました」

俺は地図を確認し、みんなに方針を告げる。

「了解。野営地で朝まで待って、旧街道を南下。メドナで馬を借りてポートアルムを目指すことにしよう」

「承知しました。先行警戒はどういたしますか？」

「できるだけ密に。向こうはワイバーンを手なずけているから、こちらを追撃してくるかもしれないし、旧街道に斥候を送ってくるかもしれない」

「かしこまりました」

俺の言葉に頷いたチヨの姿が、夜の闇に溶けていく。夜間は闇の精霊を従えた彼女の独壇場《どくだんじょう》だ。

警戒は任せておこう。

「それじゃあ、行こう。ユユ、立てるか？」

立ち上がって、ユユを引っ張り上げる。

魔法薬《ポーション》で長時間眠らされていたのだ、本調子ではないだろう。

「ありがと。作戦、浮かんだ？」

「情報が足りない。細かいところはミントを見つけてからだな。……その、お母さんから受け継いだ知識を後で教えてくれるかな？」

「わかった。野営地についたらね。教えるけど、無茶するのは、ダメだよ？」

「ああ……わかってるよ」

そう応えながらも、俺は頭の中でその〝無茶〟がどのくらい可能なのかを計算していた。

ミスラの顕現に、古代魔法、魔力変換《マナコンバート》……どれもこれも負担が大きい。状況を大きく変えることができるとはいえ、おそらく大きなリスクが付きまとう。

だが、俺を殴り飛ばしたあの男ほどの手練れが何人もいると考えれば、多少の無理や無茶はやってみせなければならないだろう。

……それに、相手は伝説の邪神だ。

手札を惜しんでゲームに負ける――なんて言葉があるが、適切な手札を適切なタイミングで切る必要がある。

何せ、俺達は手持ちがやや不足しているのに対して、相手には強力な手札が山ほどあり、すでに切り札の準備が整いはじめているのだ。

「世界を救う、ね。こういうのはシスティルちゃんの領分なんじゃねぇの？」

余程俺の顔が深刻そうだったのか、リックが冗談めかして言った。

俺の妹のシスティルは、ユニークスキル【勇者】持ちだ。確かに、世界のために戦うなんて、いかにも勇者の役回りだが――

「【勇者】があるからといって、邪悪と戦う義務はないさ」

「それもそうか。別にオレらが決着つけちまえば問題ないんだろうしな」

リックは気軽な調子で言うが、これで慎重なところがある男だ、そう話すだけの勝算をどこかに見出しているに違いない。

その言葉を聞いて、レンジュウロウがニヤリと笑う。

「ほう、坊主。なかなか大きなことを言うではないか」

「坊主じゃねぇって。ここにアストルがいるだろ？　なら、勝ったも同然だ。でも、オレも頑張るぜ？　ミレニアお嬢さんに結婚を申し込むには、まだまだ戦功が足りねぇからな」

「「「……ん？」」」

揃って歩みを止めた俺達を振り返って、リックが不思議そうな顔をする。

「なんで、みんな黙るんだ？」

エインズが、驚いた様子のまま返事をする。

「いや、そりゃおめぇ……びっくりすんだろ」

俺に至っては言葉が出てこない。まさに、なんと言っていいかわからない状態だ。

リックがミレニアを……？　いつからだ。全然気が付かなかった。

「いや、わかってるよ……ミレニアのお嬢さんがアストルを好きなのは。でも、仕方ないだろ？これでもちゃんとアストルとのことが落ち着くのを待ってたんだぜ？」

どう仕方がないのかわからないが、リックの中では色々整理がついているらしい。

「なので、ここでぱーっと戦功を立てておかねぇとな。『竜殺し《ドラゴンスレイヤー》』の称号でもあれば、箔《はく》がつくってもんだ」

「応援させてもらうよ、リック。まずはミントを助け出さないとな」

「おうよ」

互いに拳を当てて少し笑う。

この先は死地《しち》になるかもしれない。俺には俺の、リックにはリックの〝戦う理由〟がいる。

「男の子って、少し、ヘン」

「女子《おなご》にはそう映るやもしれんのう」

小さなため息をついたレンジュウロウが、ベリーショートになったユユの頭をわしわしと撫でた。


しばらく歩くと、暗闇の中からチヨの声が響いた。

「……前方にあるのが野営地です。わたくしはもう少し範囲を広げて警戒を行います」

「わかりました。お願いします」

そう応えて荷物を下ろしはじめた俺に、エインズが声をかけた。

「あ、そうだアストルよ。手紙を飛ばしてくんねぇかな」

「わかった。すまないな、大事な時期に」

「バッカおめぇ、気にすんな。ミントを攫われたまんまで帰ってみろ、パメラにどやされちまうよ。でも、遠出すんなら知らせておかねぇとな」

早速紙を取り出してペンを走らせるエインズを横目に、俺も短い手紙をいくつかしたためる。

システィルの面倒を見てくれている先輩賢人のマーブルに、塔の警護を依頼しておかないといけないし、妹達にも事の次第を知らせておく必要もある。

『邪竜アズィ・ダカー』――相手が相手だ。何が起こるかわからない。

確実なことは一つも言えないが、何も知らないよりはましだろう。

「じゃあ、飛ばすぞ」

エインズから手紙を受け取って、〈手紙鳥《メールバード》〉の魔法を使う。

続いて俺の手紙も。

「……これでよし。火をおこして食事の準備をしよう」

周囲に向かっていくつか〈灯り《ライト》〉の魔法を使うと、不意に、初めて魔法を使ってはしゃぐミントの顔を思い出した。

――もっと早く繋《リンク》がりを切断しておけば、こうはならなかった。俺の研究に付き合わせたツケがこれだ。……絶対に助け出す。

小さく決意して、来る途中で拾い集めた枯れ木《かき》を組み上げて火をつける。程よく乾いていたので、すぐに火の粉を散らして焚火が完成した。

チヨが戻るのを待って、パンと炙ったハムの簡素な夕食を食べつつ今後を話し合う。

「ミントの救出が第一目標だが、どちらにせよ、ダマヴンド島には行こうと思う」

「ふむ。邪神復活の芽《めつ》は摘んでおかねばならぬ……。じゃがアストルよ、必ずしも我らの仕事というわけではあるまい？　国難ともなれば『西の国《ウェストランド》』にはそれに対処できる英雄は多い」

競争主義の強い『西の国《ウェストランド》』では、各々《おのおの》の領に英雄クラスの人間を囲っていることが多い。特にそれを抱えているのは、ウェルスだったりするが。

彼らの武勇は、主に隣領に対する牽制《けんせい》や、中央議会での発言力を増すためのものだが、いざ戦争や魔物災害などの国難となれば、それらの人材が惜しみなく投入される。

「復活してからじゃ遅いし、ミントを取り戻して阻止したら国難にはなりませんからね……。でも、ソレがある限り、ユユとミントは狙われ続ける。なら、徹底的に処理しておかないと」

「どうするつもりじゃ？」

「そうですね、方法としては……いくつか考えがあります。到着してから最適なものを選びますよ」

頭の中でシミュレーションしてみる。どれもこれも可能ではあるが、リスクが付きまとう。

しかし、姉妹のためなら被《かぶ》っても問題ないリスクだ。

……☆1の軽い命くらい、賭けてみせようじゃないか。

「それで、ユユ……ダマヴンド島へは簡単に行けるのか？」

「船がないと、だめかな。それに侵入者防止用の海棲生物《かいせいせいぶつ》が、いるはず」

なるほど、邪教の本拠地は防衛も完璧ってことか。

「ふむ、ならば奴らの船に忍び込むしかないかのう？」

「ユユを匿《かくま》ってくれた人達に頼み込むか、自前の船で行くか……船を出してくれそうな人がいればいいけど」

「話を聞く限り、いなさそうだけどな」

エインズの言葉に頷く。

しかし、手段はある。俺達六人が乗れればいいだけなので、大型の船は必要ない。小型の船であれば、多少魔法を応用すれば海を渡ることは可能そうだ。

俺のかつての自宅のように、少し時間をかけて改造してやれば、ちょっとやそっとでは壊れないだろう。

「船は、借りるか買うかできればなんとかするよ」

「アストルに考えがあるなら、オレはそれでいいぜ」

リックが無邪気な笑顔を俺に向ける。

こいつの頭には俺を疑うって選択肢はないらしい。そしてそれは、他のみんなも同様だった。

「む。ユユ、装備、ない」

「俺が持ってきているよ。一階に置いてあった分だけだけど」

二人を助けた際に丸腰なのもどうかと思い、一式持ってきている。

ミントの鎧《よろい》はさすがに重かったので、『粘菌封鎖街道《ねんきんふうさかいどう》』で使っていた軽量鎧の方だが。

「さすが、アストルはわかってる」

俺が取り出す装備や道具を受け取りながら、ユユが顔を綻《ほころ》ばせる。

「これで、ユユも戦える。魔導書も、入ってて助かった」

「ああ、頼りにさせてもらうよ、ユユ」

俺達の様子を見て、エインズとリックが生暖かい目を俺に向ける。

「昼間のアストルを見たら、ユユの奴、卒倒するんじゃないか？」

「だな。オレでもちょっと怖かったからな……」

「なんの、話？」

ユユは二人のヒソヒソ話に、不思議そうな目を向ける。

あの時のことはそっとしておいてくれ。

俺だって、ほんの少しやりすぎたって反省してるんだ。

◆

日の出と共に起きた俺達は、旧街道を南下して、太陽が中天を少し過ぎた頃にこの辺りでは比較的大きな農村であるメドナに到着した。

南沿岸部のポートアルムと学園都市ウェルスを結ぶ街道は二つあり、やや遠回りなこちらを使う行商人は比較的少ない。とはいえ、周辺で採れた野菜や麦をやり取りする際はこちらの街道を使うので、村には搬送用の馬車や馬が必ずあると、ユユは予想したのだ。

そしてその予想は正しく、ちょうどポートアルムへ作物を運ぶ馬車を見つけ、俺達は同乗させてもらうことになった。

当初は賢人の地位と金の力にものを言わせて馬か馬車を買い上げる予定だったが、最初からそちらに向かう用事があるのであれば、同乗させてもらった方が後腐れなくて済む。それに、奴らの目を少しは欺《あざむ》ける。

トゴマと名乗った年老いた農夫は、俺達みたいな冒険者が護衛代わりに乗ってくれれば、野盗や魔物《モンスター》の危険が減って助かると快諾《かいだく》してくれた。

俺は荷造りの最中のトゴマさんに声をかける。

「トゴマさん。馬車と馬に少し手を加えても？」

「へぇ、賢人様。何をなさるんで？」

「馬車を壊れないように強化して、馬がたくさん走れるように元気にします」

「はぁ、そりゃありがたいこってす」

ご主人の許可も得たことだし、出発前に馬車を少し強化しておく。

いくつか魔石を埋め込んで半分魔法道具《アーティファクト》化してしまったが、問題ないだろう。

同様に馬にも秘薬《エリキシル》の出来損ない——と言っても、それなりに効果はある——を飲ませて、いくつかの強化魔法をかけてやる。

せっかくだから禁呪の〈勇猛《ブレイブオン》〉も実験しておこう。軍馬のように強靭な肉体と精神力にしておいたから、多少の魔物《モンスター》なら轢《ひ》き殺《ころ》す勢いで走ってくれるはずだ。

「……おっちゃん、終わったぜ」

積み込み作業を終えたエインズが、汗を拭いながらやって来た。

「へぇ、ありがとうございやす。積み込みまで手伝っていただいて」

「気にするこたあねぇよ。こっちの都合で急がせてんだからな」

本当は今日積み込んで明日出発……の予定だったらしいのだが、急いでいることを伝えると、トゴマさんは作業を前倒ししてくれたのだ。金はいらないと言っていたが、予定を狂わせた分、ポートアルムで少しゆっくりできるだけの謝礼金を払おうと思う。

「へぇ、そしたら出発しますで。日が完全に落ちるまでにこん先の野営地まで行きやす」

御者席に座ったトゴマさんが、馬車に乗り込むように促した。

順番に馬車に乗って合図を出すと、馬が動きはじめる。

「へぇ……ヘェエェッ!?」

徐々に加速し、やけに速くなった馬車は、トゴマさんの悲鳴を置き去りにして旧街道を駆けていった。

◆

土煙を盛大に上げながら爆走した結果、俺達は予定よりもずいぶん早く、結界石の敷いてある野営地に着くことができた。

「いんやぁ……さすが賢人様だなぁ。うちの馬達があんな力強く走るなんて、初めてだぁ」

「明日からも同じ速度で走りますので。なんかすみません……」

「いんや、いんや。ウェルスの賢人様には昔から良くしてもらっておるでなぁ」

パイプをくゆらせながら、トゴマさんが空を見上げる。

「この街道を作ったのも昔の賢人様だし、ここら一帯の荒れ地を麦畑に変えたのも賢人様だぁ。おらは賢人様の力になれて嬉《うれ》しい。どんな事情かは知りませんが、賢人様が慌てるようなことがあったんでしょう？」

「ええ。とても、大事なことなんです」

俺の答えを聞いたトゴマさんがうんうんと頷く。

「でしたら、おらは全力でそれをお手伝いしますで」

「ありがとうございます」

「なぁに、賢人様に恩を売っておけば、困った時に助けてもらえるなんて打算もありますでな！　はっはっは」

トゴマさんはそう笑いながらパイプをしまい、傍《かたわ》らで草を食《は》む馬の世話を始めた。

俺の背後ではすでに食事の準備が進んでおり、いい匂いが漂ってきている。

そろそろ夕食にありつけそうだ。

食事を用意するユユ達を横目に、俺は小さな道具をいくつか作っておく。

本来は俺の塔に転がり込んできた元マルボーナ塔の生徒――ダグに渡そうと思って準備していた小物類だ。エインズやリックも相当手癖が悪いので、巧《うま》く使ってくれるだろう。

「そんいえば、賢人様は船をお探しとか」

馬の世話を終えて、焚火のそばに座ったトゴマさんが切り出した。

「ええ、ダマヴンド島へと渡りたいんです」

「ダマヴンド島へ？　賢人様の研究も大変ですな……渡しをやっとる知り合いが居よるので、話してみますわ」

「本当ですか？」

「ええ。おらが声をかければ、きっと力を貸してくれると思いますでな」

まさに渡りに船だ。

俺はトゴマさんに頭を下げて感謝を伝える。

「助かります。何から何まで……」

「頭を上げてくんろ、賢人様。おらそんな大した人間じゃないで」

トゴマさんは急に頭を下げた俺に驚いたらしく、おろおろとしている。善人というのはこういう人間のことを言うのだろうな。

「いいえ。これでいくつかの問題はクリアしました。きっと、いつかお礼をさせていただきます」

「ありがたいことで。そん時は頼んます」

しばらくお互い頭を下げあっていると、食事の椀《わん》が差し出された。

「アストル、トゴマさん……スープ、できたよ」

メドナ産トマトのスープが入った器《うつわ》からは、とても良い匂いがする。

「ありがとう、ユユ」

「ん。これは、とても良い野菜……今日のは、自信作」

それを聞いたトゴマさんが少し得意げに笑う。

仕事にプライドを持った善良な人間、というのがぴったりくる人物だ。

……俺の養父に少し似ているかもしれない。

美味《うま》いスープとチーズ、それにメドナで購入した白パンでささやかな夕食を終えた後、すぐに俺達は休息に入った。見張りはリックとエインズ、レンジュウロウが交代で行い、俺とユユ、それに警戒行動の多かったチヨさんは馬車の中でぐっすりと眠った。

トゴマさんは焚火のそばで歓談していたのでわからないが、そのまま火にあたりながら眠ったようだ。

◆

——翌日。

再び、農業用馬車とは思えない速度で旧街道を走り抜ける。

周囲の景色は少しずつ木が目立つようになり、小高い丘や川なども見られるようになってきた。

海に近づき、平原から沿岸部の地形に変化したのだろう。

そして、その次の日も旧街道を爆走。道中、飛び出してきた小型の魔物《モンスター》をはじき飛ばしながら走り抜け……俺達は予定よりも二日早くポートアルムへと到着することができた。

「これは早くについたもんだなぁ、おったまげた……」

トゴマさんが驚きを露《あら》わにする。

こっそり強化魔法を入れたとはいえ、あの馬車を御《ぎょ》し続けたトゴマさんも相当だと思う。

「んだば、船乗りのとこに案内するで。急いでおられるんでしょう？」

馬を厩舎《きゅうしゃ》に預けたトゴマさんに先導され、港へと続く大通りを歩く。

この町では冒険者が珍しいのか、道行く人から少し注目を浴びてしまった。もしかすると連中に俺達のことが知られるかもしれないとは思ったが、ここまで来れば伝わるのは時間の問題だ。

そんな緊張の中、後ろから俺達を呼び止める声がかかった。

「あれ、アストルさんじゃないですか。こんな所で何をなさってるんです？」

優しげな青年が、控えめな笑顔で手を振っている。

行商人のビジリ。元司祭という肩書を持つ商人で、突如出現したダンジョン『粘菌封鎖街道』攻略の際に、手に入りにくい物資を用立ててくれた人だ。

「お久しぶりです。アストルさんのご活躍は聞いておりますよ」

「こちらこそ。しかしビジリさん、あなたこそどうして……？」

「いえ、今年の夏は『西の国《ウエストランド》』で過ごそうかと思いまして。南沿岸部をゆっくり歩いて商売して、帰りに学園都市へ行こうと考えていました。噂の賢人殿を訪ねる予定でしたが、少し早くお会いできましたね」

ビジリと握手を交わし、みんなに軽く紹介する。

この中でビジリを知っているのは俺とユユだけだ。

「ユユさんもお久しぶりですね。髪の毛、短くされたんですね？」

「うん、ちょっと……いろいろあって」

「でも、少し良くないですね。こちらをどうぞ」

ビジリは鞄《かばん》から引っ張り出した鮮やかな緑色のフードをユユの頭に被せる。

すっぽり頭を覆い、鼻のあたりまで隠れてしまう目深《まぶか》なものだ。

「ストロベリーブロンドに赤い瞳の女性を探している連中がいたそうです。まだ付近にいるかはわかりませんが……用心に越したことはないですよ。ミントさんの分もご用意できますけど、ミントさんはご一緒ではないんですか？」

ビジリの言葉に、少し詰まる。

何かあると察した彼は〝目立つとよくないんですね？　歩きましょう〟と小声で促し、俺達の列に加わる。

「これで行商人と護衛冒険者にしか見えません。……何かお困りごとですか？」

ビジリに事情を話していいものか迷ったが、協力者が多いに越したことはない。『ダカー派』の連中がどこにいるかわからないこの港町で、必要な物を揃えるのはかなりリスクを伴《ともな》う。

凄腕《すごうで》の行商人で、元司祭だからか顔が広いビジリなら、力になってくれるだろう。

仲間達に目配せして、了承を得る。俺の信用する相手なら任せる……といったところか。

「ミントは今、囚われています」

「それは、穏やかじゃありませんね……。ご入用のものはありますか？」

真剣な顔つきに変わったビジリが、懐《ふところ》からメモを取り出した。

皆まで言わずとも協力するというその態度に、心が少し軽くなる。☆1の俺にこうやって力を貸してくれる人間がいるというのは、とても心強い。

「今、船を出してくれるかもしれない人のところに案内してもらっています。協力を取りつけることができれば早々にダマヴンド島へ向かいます」

「……では、『ダカー派』がらみですか？　あまり良い噂を耳にしませんが、人攫いまでするとは」

「ええ、ユユとミントは彼らにとって特別な存在みたいです。そして、連中はロクでもないことを起こそうとしている……」

「ロクでもないこと……？　いいえ、詳しく聞いても私ではどうしようもないのでしょうね、きっと。それをどうにかしてくれるであろう〝魔導師《マギ》〟様にお任せしますよ。魔法薬《ポーション》用の素材はいくつか手持ちがあります。問屋もいくつか押さえているので、多少珍しいものでもどうにかなるでしょう。魔物素材や魔石も仕入れ先を押さえています、必要な物を言ってください」

ビジリに促され、俺は必要となるであろう物を口頭で説明する。

それをメモに書きつけては、ビジリは購入可能かどうかを答えてくれた。

「……ええと、そうですね。あとはこれ、買いませんか？」

そう言ってビジリが背負った大鞄から取り出したのは、一振りの幅広剣《ブロードソード》だ。

鞘《さや》は革製でなんの変哲もないものの、柄《つか》や握りの拵《こしら》えから見て相当な業物《わざもの》だと俺にもわかる。

「『サルヴァン古代都市遺跡群《ダンジョンズ》』産の魔法剣です。今聞いた魔法薬の要求材料から推察して相手は蜥蜴竜《ドラゴンリザード》か下位竜《レッサードラゴン》の類でしょう？　ならば、この剣はとても有効だと思いますよ」

ほんの少し、ビジリが鞘から剣を引き抜いて見せると、真銀《ミスリル》特有のうっすらと蒼《あお》い輝きが見えた。

「号は『アスカロン』。竜に属する生物に対して強力な力を発揮するそうです。アストル君に少し名前が似ていて縁起が良いでしょう？」

　即座にそれに飛びついたのは、リックだった。

「その剣、買った！　いくら払えばいい？」

　リックよ、迷宮産の魔法剣がどれくらいするか知っているのか……？

　しかも、こんな高品質な物は相当値段が張るんだぞ。

「金貨二十枚……と言いたいところですが、金貨十六枚にオマケしましょう。アストル君は上客ですからね」

　それでも相当な金額だが、もっと高いと思っていた。魔法剣などという代物《しろもの》は、なかなか市場に出回らないのだ。

「大丈夫、ちゃんと払えるぞ……。ミレニアお嬢さんから、お給料を一杯もらってるからな。武器は剣士の生命線だ、ケチってちゃ生きていけねぇ」

　躊躇《ちゅうちょ》なく小さな金貨袋をビジリに渡して、剣を受け取るリック。

　その大雑把《おおざっぱ》な金払いに少し目眩《めまい》がする。

　一般家庭の年収を優に超える金をポンと出せてしまうなど、やはり貴族階級の出身者はどこか財布の紐《ひも》がおかしい気がする。

「お買い上げありがとうございます。メンテナンスは……アストル君がいれば問題ないですね」

「多少は可能だけど、リック、無茶な使い方するんじゃないぞ？」

「まるでオレの武器の扱いが悪いみたいじゃないか……」

特に扱いが悪いというわけではないものの、高速戦闘による速攻を得意とするリックの武器の消耗が激しいのは事実だ。もっと技術が上がればそうでもないのだろうが。

「では、私はご注文の品を調達してきます。『二羽のカモメ亭』という宿に宿泊しておりますので、そちらに取りに来ていただけますか？」

「了解しました。お手数をおかけします」

「全部終わったら、ウェルスの案内を頼みますよ？　賢人殿」

小さくウィンクして、ビジリは列を離れていった。

彼の背中を見送りながら、レンジュウロウとエインズが感想を漏らす。

「不思議な雰囲気《ふんいき》の御仁《ごじん》であったな」

「ああ、こっちに警戒心を抱かせない……マーブルとは真逆の雰囲気だぜ。商売人って言うより、司祭みたいな奴だったな」

「ビジリさんは元司祭だからな……信用できる商人だよ」

そうこうするうちに、港の端に到着した。

「賢人様、着きましたで」

港の端のさらに端にある、小さな石造りの建物をトゴマさんが示した。

入り口扉の上には『ドアルテ海運』と書かれた看板がかかっている。

「おーい、ドアルテ……おるかいねー」

トゴマさんがその扉を容赦なくガンガンと叩く。

しばしして、ドタドタと足音が響き、扉がゆっくりと開いた。

「なんでぇ、トゴマ爺《じい》か。酒飲みに行くか？」

「まだ昼間だで、何言っとるんだ。この賢人様の頼みを聞いてくれんね？」

現れたのは奇妙な風体《ふうてい》の男だった。タレ目で浅黒い肌、ぼさぼさに伸びた黒髪を後ろに紐で結《ゆ》わえており、同様に伸ばし放題の髭《ひげ》も小さく結わえてひとまとめにしている。

「頼みだぁ？　なんでオレサマが……」

「協力しねぇってんなら仕方ねぇで、十年前のことを……」

「わぁーった、わぁーった……！　ッキショウ、最初から脅《おど》す気だろ、トゴマ爺」

「恩には恩で……が掟《おきて》じゃろ？　ほれ、おらへの恩を返すと思って賢人様を手伝ってくんろ」

ため息をついた男が、強烈な眼光で俺達を見る。

「んで？　オレサマに頼みってのは？」

◆

「ダマヴンド島に渡りてぇだと？　正気じゃねーのは確かだが……本気か？」

粗末な椅子にドカリと腰を下ろしたタレ目の男《ドアルテ》が、葉巻に火をつけながら俺を睨む。

「正気な上に本気です。できるだけ急いであの島へ渡りたい」

「何しにだ？」

「攫われた女を迎えに」

「……乗った」

無精髭《ぶしょうひげ》で覆われた口元をニィッと上げてドアルテが笑う。

眼光の鋭さは変わらない……どう考えても堅気《かたぎ》ではない雰囲気だが、逆にこのような荒事《あらごと》であれば気後《きおく》れしない分、仕事に期待が持てる。

「トゴマ爺、この話……引き受けっからよォ、ちょっと手伝っていけよ。船は一人じゃ動かせねぇし」

「賢人様のためとあれば仕方ないで。老いぼれも手伝いましょうや」

「それで、報酬ですが……」

「前金で金貨二枚。成功報酬で金貨五枚」

俺が言い終わらないうちに、ドアルテは即答した。

その言葉に応じ、金貨を七枚取り出して彼の目の前に積む。

「ん……お？」

「絶対成功させてください」

金貨を手の中に収めたドアルテが再び口角を上げる。

「悪かねぇ……ああ、悪かねぇな。さすが賢人。実にグッドでクレイジーな野郎だ。オレサマの扱いをよーく心得ている。気に入った！　このドアルテ、金貨七枚分命を張ってやらぁ。……で、兄さん。名前は？」

「――アストル。〝☆1《のうなし》〟アストル」

俺の言葉に、レンジュウロウが後ろで少し圧をかけたような気がしたが、今はこれでいい。姉妹をみすみす攫われ、千載一遇のチャンスでミントを取り戻し損ねたのだ。これでは〝魔導師《マギ》〟などという大仰《おおぎょう》な二つ名は恥ずかしくて名乗れやしない。

「よし、出航は明朝だ。疲れを癒《いや》して船旅に備えな」

「わかりました、では明日の日の出に伺います」

軽く握手して、建物を出る。

「あの人、ちょっとヘン、だね？」

ユユが少し考えながらそうこぼした。確かに、ドアルテはユユが苦手とする、少し暑苦しい系の臭いがする男だ。

レンジュウロウもユユに同意を示す。

「確かにあの男、妙な感じじゃな。トゴマ殿の紹介だ、間違いはないと思うが……」

「調べますか？」

「いや、よい。いずれにせよ、これから船の手配をというわけにもいかんし、あやつに賭けるしかなかろう」

影の中に潜むチヨさんに首を振って応えたレンジュウロウが、顎を撫でる。

「多分、あの人……元海賊だと思います」

「オレも同意見だ。荒くれ者の臭いがプンプンするし、ありゃ元スジ者だな」

やはりエインズも同じように見ていたか。話している最中、俺の後ろでずっとカバーに入れるように気を張っていたのはわかっていた。

リックが軽い様子で言う。

「ま、大丈夫だろ。あの様子じゃ、ちゃんと運んでくれそうだ。こう言っちゃなんだけど、オレは人を見る目だけはあるぜ。あのおっさん、目の前に金貨を積まれても目の色を変えなかった。カネで態度を変える人間じゃねぇよ」

「ふむ、では例の商人殿との待ち合わせに向かうとしよう。宿もそこで借りられればよいが」

「いざとなったら、俺はそこらで野宿をするから気にしないでください」
☆1の俺が泊まれる宿を探すのはなかなか難しい。
無理に泊まろうとして余計な騒ぎになれば、『ダカー派』に嗅ぎつけられる可能性もある。

「バカか、アストル。お前が一番回復しとかなきゃならんだろうが。なんとしてもねじ込むぞ」

「そうだよ、アストル。あと、レベルも確認しておかないと、ね」

エインズとユユに説教されてしまった。

俺がミスラ顕現の時に魔力変換《マナコンバート》したことを、レンジュウロウがあっさりとばらしたからだ。〝入れ物〟がない状態でミスラを呼ぼうと思えば、どうやっても俺の血肉《オド》を分ける形になってしまう。これればかりはどうしようもない。

半《なか》ば引きずられるようにして、ビジリが指定した宿兼食堂『二羽のカモメ亭』へとたどり着く。

こぢんまりとしているが、よく磨《みが》かれた看板や掃《は》き清《きよ》められた周囲を見ると、この宿の者はとても仕事ができる人間なのだとわかる。

「頼もう」

〝☆の最も高い者が最初に敷居をまたぐ〟という一般的な作法に則《のっと》り、レンジュウロウが代表して扉をくぐる。レンジュウロウもエインズも、今更そんなことを気にする性質《たち》ではないが、初めての街で余計なトラブルを避けるには、世間一般に合わせるのが定石《じょうせき》だ。

「はいよ、いらっしゃい。狼人族《コボルト》のお客さんは珍しいね。ああ、あんたがビジリさんの言ってた賢人一行さんかしらね？」

給仕服を着た恰幅《かっぷく》のいい女性がにこにことした笑顔で問いかけてくる。

「左様。ビジリ殿は戻られておるかな？」

「まだ帰ってきてないけど、あんた達のことは聞いてるよ。部屋を六つ用意してあるから、ついておいで」

女性は俺達を手招きしてカウンターの横にある階段をずかずかと歩いていく。

「あの、俺……」

口を開いた俺に向かって女性が〝シーッ〟と口の前で指を立てる。

「事情も素性《すじょう》も聞かないってことになってるんだ。料金も先払いしてもらってる。それに、賢人様相手に商売できるなんて、ウチの箔になるってもんさ」

「気を遣わせてすまぬな、女将《おかみ》。これで他の客に料理か酒をつけてやってくれ。余った分は懐に入れて構わぬ故」

レンジュウロウは金貨を一枚取り出し、女将に握らせる。

「あんれまぁ……金貨なんて久方ぶりに見たよ。こんな気風《きっぷ》のいいお客は初めてさね！　気に入った。しっかりとおもてなしさせてもらうよ！」

女将は上機嫌に俺達を部屋に案内する。

三階部分には小さな談話室もあり、俺達の貸し切りになっているようだ。

「ビジリさんに聞いたからね、三階部分は貸し切ってある。戻ってきたらここに案内するよ」

「ええ、ありがとうございます」

「いいってことさ。食事もここまで持って上がるから、気楽にしてな」

からからと笑いながら階段を下りていく女将を見送った後、俺達は各々の部屋に荷物を置き、談話室に集まる。

「よし、じゃあ上陸後の動きを詰めていこう。ユユ、簡単でいいからもう一度説明を頼めるか？」

馬車の中で準備した簡易のダマヴンド島の地図を広げると、ユユが確認しながら小さなピンを刺していく。

「ここが、蛇伯神殿。ここが一番大きな、集落。下位竜《レッサードラゴン》達の住む山は、ここ。森には蛇竜《ワーム》がいる。侵入するなら……ここから乗り付けて、この道がいい、と思う」

「フム、この神殿が目標地点になるのだったかの？」

「ん。ここに、きっとお姉ちゃんと……今代の『蛇伯』が、いる」

――『蛇伯』。それは称号であると共に、『ダカー派』における最高位の教導者の地位でもある。神たる竜『アズィ・ダカー』の神託《しんたく》をその身に受けて、人民を正しく導き、敵対者をことごとく討ち滅す者。

……そして、神降ろしの儀式を執《と》り行う者。

つまり、そいつのところまで出向いて叩きのめし、多少強引な手段を使ってでも、頭からその儀式の知識を引っこ抜いて破壊する必要がある。そうでなければ、今回の救出が上手くいったところで、姉妹に平穏は訪れやしない。

「して……その神降ろしの儀式とは、どういうものなのだ？」

レンジュウロウが顎をさする。

「たぶん、『アズィ・ダカー』を……受肉させるんだと、思う」

「竜の神を、受肉だって⁉」

「ん。そのための儀式だって、〝伝承〟されてる。実際、何が起こるかはわからない、けど」

ユユが母から〝伝承〟された記憶にはその結果がないらしい。

それは、いまだかつて儀式が成功していないという証拠《エビデンス》にはなるが、だからといって今回も大丈夫だと楽観視することもできない。

人工的に作られ、神聖存在としてはまだ力の弱いミスラが、ほんの短時間顕現するだけで理力《オド》をあれだけ必要としたのだ。これが信仰を集めるような古竜ともなれば、どう考えても個人の魔力《マナ》だけで済むとは思えない。

門を開けるためだけでも、魔力《マナ》供給を安定化させる祭壇《さいだん》や神殿、それに複数人の詠唱者、大量で複雑な魔法式が必要になるはずだ。

そして、〝受肉〟させるというのであれば、その体の元となる大量の理力《オド》も。

「まさか……特定の契約者の血肉と魂、全部を使って初期顕現を発生させる気か……!?」

俺の疑問にユユが小さく頷く。

「ユユ達、カダール一族は、かつてアズィ・ダカーに付き従った、巫女《みこ》の血族、みたい」

縁《えにし》深い者を依り代としてレムシリアに存在を近づけ、その血肉と魂を自らと置き換えて変性、顕現する――俺はこういう存在を知っている。

「……『魔神』と同じだな」

俺の呟きに、一同は生唾《なまつば》を呑み込む。

魔神あるいは魔人。二十二神教会が公式に神敵と認める者達だ。

これまで確認された魔神は三柱――

北の果て《ノースエンド》を統《す》べる『魔王カダベル』。

現在も行方のしれない放浪の魔人、『裏切り者達の主《あるじ》ジュダ』。

そして、唯一討伐されているのが、『絶対王アラム』。

そのどれもが、今回のような特定の手順を経て呼び出された、外なる存在である。

神聖存在と半ば同一視されながらも、その真逆に位置する者。

この中でも、『絶対王アラム』と呼ばれた魔神は、今回のケースとよく似ている。

召喚の礎《いしずえ》となったのは、かつて大陸の北東部に存在したアラム王家の面々と、その国民達だ。

隣国との戦争で敗れそうになった王が、禁呪中の禁呪として伝承されていた魔法を使用したのだと、記録には残っている。

結果として、アラム王家は戦争には勝った。

魔神となった王と、それに従う民衆が変異した悪魔の軍団によって、自国と隣国の全てを蹂躙《じゅうりん》した。——そして、今度は周辺を次々と侵略しはじめたのだ。

一時期はこのトロアナ大陸の半分近くをその手に収めたらしい。

もう二百年以上も前の話だが、長命なエルフ達の中には、まだ記憶している者もいるだろう。

もしかすると、マーブルやレンジュウロウも、実際にその時代を目の当《ま》たり《あ》にしていたのかもしれない。

「あ、やべ……今になって震えが来たわ」

リックは苦笑しながら拳を握り締める。

「原理的には同じなんだろうな、たぶん。もしかすると『アズィ・ダカー』って名前の魔神の可能性だってある」

俺の説明を聞いて緊張をにじませるリックを励ますように、レンジュウロウとエインズが力強く頷く。

「ふむ……なんにせよ、止めることに変わりあるまい」

「んだな。ああ、でもアストルよ、一応この情報をマーブルあたりに報《しら》せておいてくれや。いざという時の対応が必要だかんな」

万が一、俺達がしくじって『アズィ・ダカー』が復活し、それが魔神であったなら……最初に襲われる大都市がウェルスになるであろうことは想像に難《かた》くない。

そして、ウェルスには妹達やパメラがいる。

それを考えれば、あらかじめ良識ある賢人に警戒しておいてもらうのは必要なことだ。

そんな賢人が存在するのかどうか怪しいが、連絡しないよりはマシだろう。

「わかった。〈手紙鳥《メールバード》〉を飛ばしておくよ。パメラさんにも」

「おう、頼むわ。じゃあ後は、寝て待つだけだな」

『ダカー派』の連中がうろついているかもしれないので、出歩くのはリスクがある。

チヨはいつの間にか情報収集に出てしまったようだけど、俺達は連中に顔を見られているし、目立つ。ビジリが帰ってきたらいくらか仕込みをせねばならないが、それまではゆっくりさせてもらおう。

「じゃ、オレは部屋で軽く横にならせてもらうぜ。あの商人が戻ってきたら起こしてくれや」

「ああ、わかった」

自分の部屋に入っていくエインズに頷いて、俺は再び地図を睨む。

状況に対応できるように、いくつかプランを練っておかないとな。

そんな俺と地図との間に、巻物《スクロール》が一つ差し出された。

「確認しておこう。今後の作戦のためにも必要じゃろう？」

レンジュウロウには、俺がまた魔力変換《マナコンバート》をする予定があることがバレているようだ。

「わかりました。……『確認《チェック》』」

彼の言うことは正しいと認めざるを得ない。あと俺がどのくらい理力《オド》を作戦に回せるか確認しておくのは、とても重要だ。

しばしして、その表面に俺の情報が焼き付けられていく。

アストル、人族、十六歳、『アルカナ：魔術師／☆』
レベル102
『魔法強化：C＋』
『魔法薬作成：C＋』
『反響魔法《エコラリア》：A＋』

「……」

「……」

目の前にあるスクロールを四つに畳《たた》んで、魔法で焼く。

煙を上げるそれを灰皿に置いて、俺はため息をついた。

「……問題はなさそうだ」

「アストル、すごいね……」

さすがのユユも少し唖然《あぜん》としたようで、焦げゆく巻物の紙片を、俺同様にじっと見ている。

というか、俺だって驚いた。

「一体、お主のレベル上限はどうなっておるのだ……」

「俺にだってわかりませんよ。マルボーナのところでミスラを呼んだ際にいくらか減ったはずなので、もう少し上がると思いますけど……」

「上限なんてないんじゃね？」

にやりと笑ったリックが、俺を見る。

「その心は？」

「オレも学園都市に来てからちょっと勉強したけどさ、『ダンジョンコア』ってのは性格みたいなもんがあるんだろ？」

「ああ、そうだな……」

リックが言う通り、『ダンジョンコア』が使用者の願いを『成就』する際の処理の仕方というか、そういうのは一つ一つ違う。

「なら、アストルの願いをものすごくサービス精神の良い『ダンジョンコア』が叶えたなら、文字通り〝強くなる〟ことに上限はないんじゃねーかな？　いや、オレの勝手な解釈だけど」

リックの推察は、大雑把ながら的《まと》を射《い》ている気がする。

ウェルスの賢人達が行なった研究で、使用者の魔力《マナ》との親和性すなわち『存在係数《コスト》』が小さければ小さいほど、『成就』の成功率や強度が変わるという結果が出ている。そして、同じ願いを『成就』させた場合でも、解釈の違いとも言える結果の差異が出ることがあるとも資料に記載されていた。

つまり、『ダンジョコア』にも性格のようなものがあって、『成就』の確定方式が違うのだろうということが、賢人達の間では半ば常識となっている。

「でも、『成就』にはイメージが必要、でしょ？　アストルは、どのくらい強くなる、ってイメージをしたの？」

「そうだなぁ……」

ユユに質問され、記憶を手繰《たぐ》り寄《よ》せる。

あの時――『エルメリア王の迷宮《ダンジョン》』に取り残されたミレニアの救出に際し、俺はひどく緊張していた。彼女を助けるためにダンジョン深層に向かうことへのプレッシャーと、みんなを巻き込んでしまったという無力感とがない交ぜになった気分だった。

あの時、俺は一人で深層までミレニアを助けに行けるくらい自分が強ければ……なんて考えていた。

「もしかすると、上限なんてないかもしれない……」

考えていて恐ろしくなってしまったが、あえて言葉に出す。

「そうハッキリしたものじゃなかったように思う。あの時俺がイメージしたのは、一人で深層に行き、一人でミレニア達を助けて戻ってこられるくらいの強さが欲しいと願ったんだ。だから……『成就』が成されている以上、俺は経験さえ積めば〝そうなれる〟ところまではレベルが成長すると思う」

俺の答えに、レンジュウロウとリックが揃って唖然とした顔をした後、笑いだした。

「お主、あの時そのようなことを考えておったのか。ガハハハ、なるほど得心したわ！」

「一人で『エルメリア王の迷宮《ダンジョン》』の深層？　なるほど、レベルがいくつあっても足りねぇな」

何も笑わなくてもいいだろうに。

そう考えると、俺のレベルは１０００くらいまで上がるのかもしれない。
☆５と比べて身体的にも貧弱な存在である☆1。その俺が、『エルメリア王の迷宮《ダンジョン》』を単独攻略しようなどと考えれば、レベルが１００やそこらまで上がったところで不可能だろう。
「ああ。でも実際、アストルなら一人で入っていって、『大型ダンジョンコア』を抱えて戻ってきそうだよな！　ビビったオレがバカだった。魔神が出てきてもいけるんじゃないか？」

「リック……バカ言うなよ。伝説が正しかったら大陸西部一帯を狩場とするようなドラゴンだぞ……復活したら勝てるわけない」

その時は、自分を消滅させる覚悟でミスラと『光輪持つ炎の王《アータル・クワルナフ》』を同時顕現させるしかない。

それでも勝てるかどうかわかったものじゃないけど、時間稼ぎをすればきっと学園都市の賢人達がなんとかしてくれるだろうという気はする。

〝ヘンな者達〟だが、あれで戦闘能力が高い者も多いのだ。マーブルにしても、単体で古代魔法を使えるくらいに熟達した魔法使いだしな。

「とにかく、『アズィ・ダカー』の召喚は止める。何が起こるかわかったもんじゃない」

「然り。大きな被害が出るであろうことは間違いないじゃろうしの。ユユには悪いが、いざとなればワシはお主の血族の者を斬って捨ててでも止めるぞ」

「ん。それは、いい。本当に危なくなったら……ユユも、斬って、いいよ」

ユユがレンジュウロウに真剣な眼差しを向ける。

「それは勘弁してほしいのう……。故にアストル、なんとかせよ」

「わかりました。仕込みはいくつかあります。全部だめなら、ユユの前に俺が命を懸けますよ」

リックがパンパンと手を打ち、緊張した空気を霧散《むさん》させる。

「重い、重いよ！　今までなんでもどうにかしてきたアストルがいるんだぜ？　レンジュウロウさんもユユさんも、アストルを信じろって」

その自信はどこから出てくるんだ、と言いたいが……その通りだ。

レンジュウロウにユユを斬らせるなんてとんでもない。そうなる前になんとしても、事態を終息させる。そのための準備も、ビジリが戻ってくればほぼ完了だ。

「おっと、みなさん。もうお揃いですね」

そうこうしているうちに、荷物を抱えたビジリが三階へ上ってきた。

その背後には、チヨもいる。

「頼まれた品は全て揃いました。ついでに食料や水も携帯できる物を買ってきましたよ」

依頼品の詰まった袋を床におろしながら、ビジリが微笑む。

「本当にありがとうございます。……これがあれば、できることが広がる」

俺は袋の中身を確認しながら、作戦にオプションを加えていく。立てたプランが完全に機能するケースは少ない。プランを補強し、いざとなれば別プランを実行できるだけの柔軟性を持たせるためには、事前の準備が不可欠だ。

「それと……港の方で聞いたんですけどね、『ダカー派』数人を乗せた小型船が昨日、出航したそうです」

「わたくしも裏を取りました。それに、翼竜《ワイバーン》の姿を見たという噂もあるようです」

馬車を引き上げた翼竜《ワイバーン》の可能性が高い。やはり、ミントはダマヴンド島へと連れ去られたようだ。

俺の服の裾《すそ》をユユが小さく引く。

「……大丈夫、焦らなくて、いい。お姉ちゃんがおとなしくしているってことは、眠らされている、はず。理力《オド》の消耗はそれほどじゃ、ない。上陸して、近づけば死なない」

「しかし、『アズィ・ダカー』の召喚が始まったら？」

依り代にするということは、理力《オド》を吸収されるだろう。そうなれば、ミントの体はそう保たない。

「……それも、だいじょぶ。ユユがいないから」

「そうか、必要な条件が揃わない限り、儀式をはじめられないのか」

「ん。それに、お姉ちゃんと二人揃ってできるのは、召喚の儀式だけじゃない。血族の力で、門を閉じることも、できる」

どうやら、ユユの方が肝《きも》が据《す》わっているようだ。不安なのは同じはずなのに……

俺が揺らぐわけにはいかない。

「さ、みなさん食事が来ます。しっかりと食べて休息をとってください。ここは私のオゴリですよ」

「ビジリさん、そんな……悪いですよ」

「いいですか、アストル君。これは投資です。ウェルスに行ったらいろいろと顔を使わせてもらいますからね？　ですから、借りを返すためにきちんと戻ってきてください」

「わかりました。約束します」

悪意なく朗《ほが》らかに笑うビジリと握手を交わして食事の席につくと、女将が料理を運んできた。

「さぁ、ウチの名物料理ばっかり運んできたよ！　しっかり精をつけな！」

並べられる料理を見つめながら、俺は明日の行動プランに少しだけ修正を加えた。

……俺が、生きて戻れるように。

◆

——翌日。

俺達はダマヴンド島へ向かう船の上に居た。

「潮《しお》に乗った。天気も風向きも良い……。予定通り明後日の朝には到着できそうだぜ」

舵《かじ》を握りしめたドアルテが機嫌よさげに笑う。

日の出前に港に赴《おもむ》くと、彼はすでに完璧に出航準備を整えていた。

俺達が乗り込んだのはやや小型の帆船《はんせん》だが、人数に対しては充分な大きさで、小さいが故に足も速いという。状況を見据えた、ベターな選択だ。

「船長、助かります」

「オレサマに任せておけ。この船はウェルス製の結界魔法道具《アーティファクト》が積み込まれているから、そうそう魔物どもも近寄ってこねぇ」

その言葉を聞いて、少し安心した。海上での戦いなど経験がないので、あまり自信がない。

「海、だ……」

「お、嬢ちゃん。海は初めてか？」

「うん、綺麗。……む、でも浮かれてちゃ、ダメだ」

ユユは輝かせていた目を、少し曇らせて口をきゅっと結ぶ。

「帰りに楽しめばいいじゃねえか。なんなら、ちょっとした隠れ小島に案内してやってもいいぜ？」

ニカリと笑うドアルテ。粗野《そや》だが豪快《ごうかい》な雰囲気は、まさしく海の男といったところか。

「帰りも乗せてくれるんですか？」

「あん？　でなきゃ、おめぇらはどうやって帰る気だったんだ？　ダマヴンド島の船を乗っ取るにしても操舵《そうだ》できる奴がいないんじゃ困るだろうが？」

正直言えば魔法の力でなんとかできそうだが、専門の人間がいれば航海の安全性が違う。

片道のつもりだったので、なんとも嬉しい申し出だ。これは追加の金貨を積まねば。

「少し意外でした。船長は義理堅いんですね」

「よせやい、金貨分の仕事はするってだけの話だ」

ドアルテは照れたような顔を見せる。

「帰りはミントが騒《さわ》ぐやもしれんのう。馬車であの様《ざま》では、船の揺れには耐えられまいて」

レンジュウロウの危惧はもっともだ。俺はこっそり平衡感覚を強化する魔法を使っているが、乗り物酔いが酷いミントはこれに耐えられやしないだろうな。

ドアルテとトゴマさん、それに数人の水夫が操る船は、風を受けて海上をスイスイと走っていく。

途中遭遇した水棲魔物《モンスター》はぞっとするような大きさだったが、海の男達は船乗りらしい知恵――金属製のスプーンで耳障りな音を立てるなどした――でそれらを遠ざけた。


そして、出航して二日後の昼前。

俺達は想定通りの時間に、ダマヴンド島へ到着し、予定していた場所に降り立った。

小さい船でやや大回りしたので、おそらく『ダカー派』には気付かれていないはずだ。

「野郎ども、竜の島だからってビビんじゃねぇぞ。客が帰ってくるまでキッチリここにツケんぞ！」

「アイアイ！　お客さんがた、よかったらコレ……」

食料を管理している水夫が、人数分の包みを俺達に差し出した。

「ちょっとした弁当です。精がつくモンも入れといたんで」

「お、すまねぇな」

「かたじけない。相伴《しょうばん》にあずからせていただく」

エインズとレンジュウロウに続き、オレも弁当を受け取り、仕舞い込む。

「船長、本当に危なくなったら離脱してもらって構いませんから」

「命あっての物種ってのは身に染みてらぁ。そん時はオレサマを恨んでもいいぜ」

「無茶して〝死にぞこない《アンデッド》〟になられるよりはいいです」

ニヤリと口角を上げたドアルテが突き出した拳に、コツンと拳を当てて、俺は彼に背を向ける。

ここからは迅速《じんそく》かつ確実に行動を起こす必要がある。何せ、このダマヴンド島は非常に危険な島だ。

山岳部には野生の下位竜《レッサードラゴン》が棲《す》み着いているし、今から分け入るジャングル地帯には大型の蜥蜴《とかげ》や蛇竜《ワーム》が潜んでいる。

……かと言って、現在地から北東部にある人里へ行けば、すぐに俺達の存在が露見《ろけん》してしまうので本末転倒だ。

つまり、この道とは言い難い獣道を通ってジャングルを抜け、直接『蛇伯神殿』へ向かうのがプランとしては一番良いと判断した。

最悪、ミスラの力を借りて神殿ごと破壊すれば、儀式の進行は困難になるだろう。

〝伝承〟されたユユの話を聞く限り、『蛇伯神殿』は儀式の中核を担《にな》う重要な要素だ。で、あれば。巨大魔法道具《アーティファクト》と推測される神殿を、徹底的に、そして完膚《かんぷ》なきまでに破壊し尽くすことで、血族が残ろうと『蛇伯』が在位していようと儀式そのものを続行不能にできるはず。

「先行警戒に出ます」

「普段とは勝手が違う。気をつけるのだぞ？」

レンジュウロウの言葉に少し喜色を見せたチヨが、するりと姿を消した。

何せ、竜種がうようよ居るらしい密林だ。普段俺達が目にしている森とは危険度が違う。

「……戻りました。周囲に敵性生物はいません。進みましょう」

すぐに戻ってきたチヨの後について、ジャングルに分け入る。

足元までみっしりと木の根に覆われており、歩くには少しコツが必要そうだ。

「ユユ、大丈夫か？」

「ん。ありがと」

ユユの手を取って張り出した木の根を越えながら、俺は意識を集中させる。

ごく薄くだが、進行方向からミントの気配が感じられた。

もしかすると、目を覚まして俺の気配に気づいたのかもしれない。

「アストル様、どうですか？」

先を行くチヨがちらりと振り返った。

「こっちであっています。ミントはやはり、『蛇伯神殿』にいるようです」

「ってーことは、例の『蛇伯』とやらもそこにいると思って間違いねぇな」

エインズの言葉に頷いて、少しばかり考える。

……今回の出来事の黒幕と思われる『蛇伯』なる存在。

『アズィ・ダカー』にしても〝終末の蛇伯〟と呼ばれていることからして、『蛇伯』が件《くだん》の竜神そのものを指しているのではないのだろうか。つまり、『蛇伯』とは『アズィ・ダカー』の血肉を継ぐ者を指すと推察される。

「〝竜人《ドラゴニアン》〟なのかな、やっぱり」

俺の呟きに、隣を歩いていたエインズが首を捻る。

「竜との混血……あり得んのか？」

「色鱗竜《カラードドラゴン》みたいな上位の竜族《ドラゴン》は人にも化けられるし、子もなせるって文献にはあった。黒竜と子をなした英雄の話もあるしな。『アズィ・ダカー』が上位の存在ならば可能性はあるだろ？」

古《いにしえ》の文献だが、レムシリアには孤独な黒竜が出会った青年と恋に落ち、障害を乗り越えて夫婦になる……なんて伝説が残っているのだ。禁書とはいえ文献が残っている以上、完全な与太話《よたばなし》というわけでもないだろう。

それに、街道で戦闘になった『ダカー派』の連中も、不完全に見えたが〝竜人《ドラゴニアン》〟らしき姿に変異している。その元締めである『蛇伯』が、〝竜人《ドラゴニアン》〟であってもおかしくはない。

「……お話はそこまでで。前方六十メートル、魔物《モンスター》です」

チヨに警告され、目を凝らして先を見ると、ジャングルでは保護色となるような緑の鱗を持った巨大な影が、するすると動いているのが見えた。

蛇にしては大きすぎる。……何せ、高さが俺の腰ほどもあるのだ。

「密林蛇竜《ジャングル・ワーム》だ……！」

「でかいな……！」

身を隠した状態で、リックが短く驚きの声を上げた。

あの大きさになれば、対峙するにはかなりの勇気を振り絞る必要があるだろう。

「胴の太さが一メートルはある……全長三十メートル近いんじゃないか。かなり年経た蛇竜《ワーム》だな」

「どういたしますか？」

遮蔽物《しゃへいぶつ》が多く、地面も平坦ではないジャングルでは、一気に詰めるという戦法はとれない。

だからと言って迂回《うかい》してやり過ごすのも少々難儀な相手だ。

ああいった手合いは、臭いと振動でこちらを感知する。現在は風下なので気付かれていないが、避けて『蛇伯神殿』へ向かえば、必然的に俺達は風上に立つ。そうなると、後方からこの巨大な生き物に不意打ちされる可能性は否《いな》めない。

「……やるしかない。先制攻撃を加えて、迎え撃つ戦法でいこう」

腰に佩《は》いた『アスカロン』の留め金を外しながら、リックがぼやく。

「あのデカさの生物はちょーっと怖えが……四の五の言ってられねえしな。ああいったデカブツこそ、ミントさんの大剣向きなのにな」

俺は覚悟を決めて指示を飛ばす。

「ユユ、強化開始だ。スタンダードな密林蛇竜《ジャングル・ワーム》だと思うけど、ああいった手合いは個体差がデカい。念のため〈耐火《レジストファイア》〉もかけておいてくれ」

密林蛇竜《ジャングル・ワーム》と一括りにしたものの、竜族は個体差が大きい生物群だ。同じ場所で育っても、火を噴くモノや、鱗が鋼鉄の如き硬さになるモノなど、様々に変異しやすい。目の前のアイツだって、この密林を生き抜くために何かしらの能力を持っていてもおかしくない。

「効くかどうかはわからないが、俺は弱体魔法で動きを鈍《にぶ》らせる。ユユは適宜《てきぎ》防御魔法で前衛を援護、エインズはターゲット固定に専念、リックは遊撃をしてくれ」

「ワシはアレ、じゃな？」

レンジュウロウが腰の刀を握る。

「はい。通常の手段で仕留《しと》めるには大きすぎます。いつも通り、レンジュウロウさん頼みになります」

「心得た。チヨ、上手く立ち回れ。周囲の警戒も怠《おこた》るな」

「はっ」

そうだった。戦闘中に別の敵性生物に出くわしたり、『ダカー派』の者に襲われたりする可能性もあるのだ。普段は何も言わずともチヨがそれをしてくれているので、すっかり気が抜けていた。

「チヨさん、お願いします」

「お任せくださいませ、アストル様」

チヨがちょこんとお辞儀《じぎ》をして姿を消す。ジャングルのような立体的な地形で影が多い場所は、彼女にとっては有利なフィールドとなる。任せて問題なさそうだ。

「じゃあ、行くぞ……！」

合図を出して、少しずつ前進する。

魔法の適用範囲ぎりぎりまで近づき、俺は小さく魔法を唱える。

いつものようにⅠランクの弱体系魔法を連射してもいいのだが、一気に動きを封じたい上、先制攻撃ができるこのタイミングならⅢランクの弱体魔法を使う方が適切だ。

「――〈麻痺Ⅲ《パラライズ》〉」

〈麻痺Ⅲ《パラライズ》〉を【反響魔法《エコラリア》】で再度、密林蛇竜《ジャングル・ワーム》へと放つ。

魔法の影響を受けた密林蛇竜《ジャングル・ワーム》が小さく身を震わせた後、ゆっくりとこちらに鎌首《かまくび》をもたげたのがわかった。

「警戒ッ！」

エインズが盾を構えて声を張り上げた。

「ギシィアァァァァッ！」

密林蛇竜《ジャングル・ワーム》が体を震わせて甲高《かんだか》い唸り声を上げる。

同時に、こちらに向けて矢のような何かが降り注ぐ。

一枚一枚が尖《とが》ったそれは、ダグが良く使う小さな手投げナイフのように鋭い鱗だった。

「鱗を飛ばしてきたッ⁉」

初めて見る攻撃行動だ。密林蛇竜《ジャングル・ワーム》と対峙すること自体初めてではあるが、こんな攻撃は文献にも載っていなかった。とっさに〈矢避けの護りⅠ《ミサイルプロテクション》〉を発動して鱗を弾くが、前衛までは範囲に入らない。

こんなことなら、他者中心範囲型の〈矢避けの護り《ミサイルプロテクション》〉を開発しておくべきだった。

降り注ぐそれを、エインズは盾で防ぎ、リックは素早い剣捌《けんさば》きで叩き落している。

しかし、レンジュウロウは避けもせず、ただその身に受け止めていた。

毛皮には血がにじみ、体には痛々しく鱗が刺さったままだ。

【必殺剣・居合】は非常に強力なスキルだが、レンジュウロウの言うところの〝死線〟を手繰る精神集中のために、動きが制限される。強力なスキルには大きなデメリットがついていることが多いのだ。

「レンジュウロウさん！」

「構わぬ……。この痛み、血の匂いこそ、戦場に立つワシを奮《ふる》わせる……！」

凄惨な笑顔で牙を覗かせるレンジュウロウから、濃く鋭い殺気が放たれている。

「ユユ、レンジュウロウさんのカバーを！」

「ん、任せて」

ユユに指示を出しつつ、密林蛇竜《ジャングル・ワーム》に複数の弱体魔法を連射して近づく。

あいにく、この個体には効果が薄いようだが、それでも全く効果がないわけではないだろう。

その証拠に、密林蛇竜《ジャングル・ワーム》の動きは精彩を欠いている。

あの大きさだ、圧し掛かるなり巻き殺そうとするなり、なんらかの攻撃行動があって然るべきだが、今のところ威嚇《いかく》と特殊能力の発露《はつろ》に留まっている。

おそらくだが、〈麻痺《パラライズ》〉が部分的に効いてるのだろう。

「おい、アストル……危ねぇぞ！」

エインズが前に出た俺をカバーすべく走ってくる。

「……あった」

「あン？」

俺は前衛付近まで出張って密林蛇竜《ジャングル・ワーム》を間近に観察し……ソレを見つける。

顎のつけ根あたり、他より少しだけ大きい鮮やかな緑色の鱗が、一枚だけ流れに逆らって生《は》えている。

……逆鱗《げきりん》。

竜族には必ずある弱点。

知識の上では知っていたが、実際にあるとは……と、少し感動してから、そこへ〈魔法の矢《エネルギーボルト》〉を二度三度と撃ち込む。

盛大に血肉を迸《ほとばし》らせながらのたうつ密林蛇竜《ジャングル・ワーム》に〈拘束Ⅰ《バインド》〉を放ちつつ、背後を確認する。

その瞬間、一陣の風が通り抜けた。

「——斬り捨て御免《ごめん》」

チン、という鍔鳴《つばな》りの音が聞こえた時……密林蛇竜《ジャングル・ワーム》の首はすでに落ちており、残った胴から噴き出す血の雨がジャングルを赤く濡らしていた。

◆

「レンジュロウさん、大丈夫ですか？」

レンジュウロウの傷を〈治癒Ⅱ《キュアウーンズ》〉で塞《ふさ》いでいく。

「うむ。この程度ではビクともせんよ」

深い傷もいくつかあるので念入りに確認してから、移動を再開する。

「斯様《かよう》なモノがおる森と、『ダカー派』はどう共存しておるのだろうな」

「わかりませんが、陸竜《ランドドラゴン》や翼竜《ワイバーン》を使役していましたし、何かしらコントロールする術《すべ》があるんじゃないでしょうか」

どのような方法かは見当もつかないが、あの陸竜《ランドドラゴン》を操る魔法道具《アーティファクト》があるのだから、蛇竜《ワーム》も支配下に置けるのかもしれない。

『ダカー派』がその気になれば、この能力を使って『西の国《ウエストランド》』を脅《おびや》かすことは容易《たやす》いだろう。

俺とレンジュウロウの会話に、ユユも入ってくる。

「下位竜《レッサードラゴン》を操る道具が、ある。あと、竜の血を持っている人は、襲われにくい。この島に棲む下位竜達は、『アズィ・ダカー』の眷属、だから」

「道具や竜の血を持ったヤツは一杯るのか？」

エインズの質問にユユは首を横に振って答える。

「道具は貴重、だし……竜の血は、男で適性がないと、無理。そんなに多くない」

そんな貴重な道具を提供してでも、二人は手に入れなければならない存在だったわけだ。

「……でも、『アズィ・ダカー』が蘇《よみがえ》ったら、ここの竜達は、全部その意に、従う。眠っているのも起きたら、怖いことに、なる」

ユユの言葉が引っかかる。

「眠っている？」

「『アズィ・ダカー』の子供達……かな、ちょっと語弊《ごへい》、あるけど」

ユユに詳しい話を聞きながら、俺達はジャングルを進む。

曰く、『アズィ・ダカー』が封印された際、その肉体はレムシリアに残った。精神と魂だけが高位次元へと送還されたらしい。そして残った肉体からは十体のドラゴンが新たに生まれた。

……その全てが、この島の地下で眠っているのだそうだ。

「生体複製しての理力《オド》の分割保存か！　神と奉《まつ》られる存在はやることのスケールが違うな！」

「どういうことだよ、アストル」

勉強不足のリックにも、わかるように説明しなくては。

「俺達は普通死ぬ。魂と精神が肉体から離れれば、肉体を構成している理力《オド》は環境魔力《マナ》に変換されて、肉体も消える。これはわかるな？」

「死ねば、腐るってことだろ？」

実に端的だが正解だ。

「腕を落とされたらどうだ？」

「落ちた腕が腐って消える」

「腐る前に高位の治癒魔法《ちゆまほう》を使えばくっつくよな？　あれは理力《オド》が消失しきる前だからだ」

「そうだな。日にちが経つとダメだけどな」

「でも、ある研究で保存する方法が見つかった」

「え」

「落ちた腕に魔石をねじ込んで〈変化《シェイプシフト》〉の魔法を使うんだ」

〈変化《シェイプシフト》〉は使い手が極端に少ない高位の魔法だ。

その効果は、自分の姿を別の動物に変化させるもの。猫や犬、馬、果ては鷲などに変化する人もいる。適性によって化けられる動物が変わるらしいが……これをあろうことか、うっかり切り落とした自分の左手に試した人間がいる。

その手は白いネズミへと変化し、元気に動き回ったそうだ。

そして、効果時間が過ぎた後、再び落としたばかりの新鮮《フレッシュ》な左手に戻ったらしい。

現在の最先端の研究では、切り離した部位に魔石を埋め込んでおけば、長時間〈変化《シェイプシフト》〉が維持できるなんて結果が出ている。

「……これを、『アズィ・ダカー』のような強大な力を持った存在が行えばどうなるか？」

「おいおいおい……まさか」

「おそらく、そのまさかだ。『アズィ・ダカー』は自分の体を生物に変化させてダマヴンド島に分割保存している。儀式で精神と魂が呼び出されたら、それを使って肉体を再構成する可能性が高い」

神とも言える神聖存在をどうやってこのレムシリアに長時間召喚し続けるのか疑問だったが、やっと謎が解けた。なんてことはない、あらかじめ〝入れ物〟を準備しておけば、人間が行う程度の儀式でも顕現を維持できる。大量に周囲の環境魔力《マナ》を喰《く》らうし、存在維持のための魔法式の継続が必要になるだろうが、魔力《マナ》持ちを動員する人海戦術でなんとかなるレベルだ。

魂と精神の方にしても、『蛇伯』なんて呼ばれる特別な祭司がいるくらいだ、おそらく手を打ってあるだろう。誰が考えたのか知らないが、実に上手く人間を使った復活システムだ。

「だいじょぶ、いざとなったら、門を閉める祝詞《のりと》も〝伝承〟されてる」

俺達の焦りを感じ取ったのか、ユユが解決案を口にする。

「お姉ちゃんが、〝伝承〟されてたら、だけど。古代魔法だから、二人で継いで唱える必要が、ある」

「俺が継いだらダメなのか？」

「血統魔法だし、たぶん、ダメだと思う」

ミントが魔法、ね。基礎は教えたが、古代魔法の詠唱に耐えられるほどに熟達しているわけではない。大丈夫とは言い切れないな。

「見えてまいりました」

チヨが前方を指さす。

目を凝らすと、階段状の神殿《ジッグラト》のような形状の大きな建物が視界に入った。

近づかなければ詳しいことはわからないが、高さは二十メートル以上あるのではないだろうか。

あの大きさの神殿を完全に叩き壊すのは骨が折れそうだ。

「ミントの気配が濃くなっている。焦っているような感情が流れてきてるな」

急げ、ということだろうか？

そう考えを巡らせた瞬間、周囲の雰囲気に変化が訪れた。

ただでさえ鬱蒼《うっそう》としたジャングルなのに、周囲に霧《きり》が立ちこめ、木々の間から覗く空には分厚い雲がかかりはじめる。

同時に、濃い魔力《マナ》があたりに溢れ出す。

――まるで、〝古代魔法を使う時のように〟。

「……まずいぞ……！」

俺達は異変の中心となっているであろう『蛇伯神殿』へと、歩調を速めた。

時間が経つと共に、周囲の環境が変化していく。

ジャングルの木々がざわついて葉を散らし、足元を覆っていた苔《こけ》は茶褐色へと変色する。

大量の環境魔力《マナ》が消費され、周囲の生態系を乱しているのだ。

ダンジョンがあるような地脈の上であれば、そこから魔力《マナ》を吸い上げればいいが、何もない場所で超大型の古代魔法を使おうと思えばこうもなる。

「体……重い……。何、これ」

足をふらつかせて頭を押さえるユユを支える。

「大丈夫か？　ユユ」

エインズとリックが心配そうにこちらを見る。

「もしかして儀式が始まっちまったのか？」

「んなバカな。二人が揃わなきゃ使えないんじゃなかったのかよ」

だが、周囲の状況は魔法の詠唱準備に入ったことを示唆《しさ》している。

ユユに逃げられたから要素《ファクター》を欠いたまま儀式に入ったのだろうか？

「またミントの理力《オド》に揺らぎがある。何かしらの魔法現象が起きているのは確かだ。神殿に向かうぞ」

「うむ。なんにせよ、阻止せねばならんのだ……急ぐとしよう。いけるか？ ユユ」

「だいじょぶ。お姉ちゃんを助けて、門を、閉じる……！」

ユユを支えながら、ジャングルを駆ける。

環境魔力《マナ》の消費で木々がやせ細り、苔が枯れたことで足元が安定したのは皮肉だが、気にしている場合ではない。

階段状の『蛇伯神殿』の麓《ふもと》とも言える場所に到着した俺達は、身を隠しながら上部への道を探す。

そして回り込んだ先、上部へと至る階段前の広場では、異様な光景が広がっていた。

そこには数十人の男達がおり、平伏《へいふく》して何やら祝詞を詠唱している。

同じ所作、同じ魔法節……それが延々と繰り返されている。

「集団での並列詠唱《パラレルキャスト》……！　こんなんじゃ、魔力枯渇《マナエンプティ》で死人が出るぞ」

全員男性だが、老いも若きも関係なく一様《いちよう》に途切れることなく詠唱を続けている。

この人数で詠唱を続ければ、周囲の環境魔力《マナ》が枯れるのも頷ける。

その光景を見て、エインズがぼやく。

「階段に向かうにはこの中を抜けなきゃならんのか？　さすがに全員は相手にしてられねえぞ」

「……お待ちください……！　あれを……！」

焦った様子のチヨが俺達から対角にあたる付近を指さした。

そこにいる男の体が徐々に黒く染まっていく。

よくよく観察すると、集団の中に同じ現象を起こしている者が数人見られる。黒く染まった部分はやがて塵《ちり》になって舞い上がり、『蛇伯神殿』の上部へと吸い込まれていく。

「……なんだ、これ」

「賢人のお前がわからないんじゃ、オレにわからなくても仕方ねぇな」

リックが軽口を叩きながらも額に汗をにじませる。それほど異様な光景だった。

徐々に、そして加速度的にその現象が広がっていき、次々と黒く変容して崩れていく男達。

これは人の死に方ではない……ましてや魔力枯渇《マナエンプティ》でもない。

何が起こっているか推測はできるが、信じられない出来事だ。

「のう、アストル……これは」

「ああ……」

冷汗が止まらない。

……何故ならこれは〝俺の死《し》に際《ぎわ》の光景〟になるかもしれないからだ。

そう、これは魔力変換《マナコンバート》に違いない。体の構成要素そのものを魔力《マナ》へと変えているのだ。

魔力貯蔵者《マナタンク》なんて呼ばれる低い☆の人間がいる。

戦時に備品のように徴兵され、大型魔法を継続詠唱するために消耗品となる者達のことだ。

魔力枯渇《マナエンプティ》するまで詠唱させられ、中には死ぬ者もいる。

強大な魔法を使う時に使用される手段の一つだ。

……だが、これは違う。

魔力変換《マナコンバート》を強制的かつ他動的に起こしているとしか思えない。

普通、人というものはそこまで理力《オド》をコントロールできないはずだ。俺だって、魔力親和性の高い☆1であるということと、生まれつきの魔法の素質が上手く作用した結果使えるというだけで、自発的に魔力変換《マナコンバート》ができる人間なんてそうそういやしない。

つまり……神殿の上部にいる何者かが、詠唱者達の理力《オド》まで搾《しぼ》り取《と》って魔法を完成させようとしているのだ。

——下衆《げす》め。

この崩れゆく『ダカー派』の男達に同情などしないが、人として許されざることだと、心の奥底で怒りに似た感情が揺らめいた。

「一気に通り抜けよう。もう彼らに俺達を邪魔できる体力はないよ」

リックも険《けわ》しい顔で頷く。

「……ああ、気分の悪いもんを見せられた落とし前は付けさせてもらう」

武器を抜いて、集団の中へと駆け込む。

広場にいる者達はすでに半数ほどが塵へと姿を変えており、通り抜けるのは容易だった。

そして、予想通り……誰も俺達の邪魔をしなかった。

もはや精神のバランスを欠いており、他者を認識することすらできなくなっていたのだろう。

まるで天に向かうかのような急で長い階段を駆け上る。

「先行します！」

チヨが階段を上る速度を上げて走っていく。

「ユユ、複数強化《マルチエンチャント》の魔法の巻物《スクロール》を！」

「ん」

腰に提げた複数強化《マルチエンチャント》の魔法の巻物《スクロール》を発動させるユユの隣を走りながら、リックと自分に〈敏捷強化《アジリティ・エンチャント》〉〈迅速《クイック》〉〈倍速《ヘイスト》〉を【反響魔法《エコラリア》】を使って掛けていく。

「リック、俺達も行くぞ」

「おうよ、相棒！」

階段を駆け上がるその途中、上から人が降ってきた。

「チヨさん！」

一度階段に体を打ちつけ、大きく跳ねるチヨ。それをレンジュウロウが跳躍《ちょうやく》して受け止める。

「チヨ、大丈夫か!?」

「しくじりました……大丈夫です」

「行って、アストル。回復は、ユユが、する」

それに頷いて、俺は速度を上げた。

上階にチヨを下《くだ》すほどの相手がいる。あの黒髪の男か、あるいは『蛇伯』か。

いや……もしかすると、あの黒髪の男こそが『蛇伯』なのかもしれない。

「ミントッ！」

階段を上りきったその正面には祭壇があり、仮面を身につけた祭司らしき男が立っていた。

そして祭壇の上には、純白の薄衣《うすごろも》だけを纏《まと》ったミントが横たわっている。

怪我はなさそうだが……意識もないみたいだ。

再び意識を奪われたせいか、さっきよりも繋《リンク》がりが弱い。

「邪魔をするな、簒奪者よ」

「……ミントを返してもらうぞッ！」

祭壇の前で儀仗《ぎじょう》を振るう仮面の祭司が、低い笑い声を上げる。

「もはや、遅い。カダールの魂は今しがた燃え上がり、招来《しょうらい》の灯《ともしび》となった」

「なんだと……！」

魔力の奔流《ほんりゅう》が強風となって吹きつけ、俺達を吹き飛ばそうとする。

まるでこの場の魔力が意志を持っているみたいだ。

「*Bonvolu Nun estas tempo aperi, mi nomigâs Zahhāk.*（いざや降臨せよ、我が名はザッハーク）

Legitima regô de la drako posteulo.（蛇伯にして正統なる王）*Mi personoj kiuj kontrolas la okcidento de la câso de la mondo.*（西の狩場を統べる者である）」

その魔力の暴風の中、高らかに歌い上げるかのように、仮面の男が詠唱を終えた。

周囲の魔力が怨嗟《えんさ》のハーモニーを伴って渦巻《うずま》き、不快な光をチカチカと発しながら男に集約されていく。それと同時に、空の暗雲がさらに濃くなって、稲光《いなびかり》を内包しはじめる。

足元が揺れているところを見ると、島全体が何かしらの魔法現象の影響を受けているのかもしれない。

「ハハハハハッ！　簒奪者どもよ！　恐れおののき、許しを乞うがいい！　我こそが真なる王ザッハーク！　『アズィ・ダカー』様の威光を体現する者なり！」

イカれた勝利宣言をしながら、嗤《わら》う『蛇伯《ザッハーク》』。

「……く、リック！　ミントを回収してくれ！　俺はコイツを足止めする」

膂力《りょりょく》とスピードから考えて、リックに行ってもらうのが確実だ。それに『蛇伯《ザッハーク》』が魔法を使うなら、俺が対峙してそれを邪魔した方が危険は少ない。

全速で駆け出すリックの背中を見ながら、俺は『蛇伯《ザッハーク》』と対峙する。

「俺が相手になってやる。ミントは返してもらうぞ」

杖を構えて、『蛇伯《ザッハーク》』を睨みつける。

直接的な攻撃行動は隙を生む。……リックが戻って来るまでは防戦に徹しよう。

特殊な魔法を継承する手合いだ、何をしてくるかわかったものではない。

「……」

意気込んで対峙したものの、『蛇伯《ザッハーク》』の様子がおかしい。

先ほどまでの狂騒《きょうそう》じみた高揚感はなりを潜め、むしろ焦った雰囲気すら感じられる。いきなりどうしたというのだろう。

『蛇伯《ザッハーク》』がブツブツと何やら呟く。

「どういうことだ……何故なのだ」

「……？」

「何故、降臨されないのだ！　『蛇伯《ザッハーク》』たる我が身に、なんの変化もないとは、どういうことだ！」

ぶるぶると震えながら『蛇伯《ザッハーク》』が仮面を外した。

仮面の下から現れたのは、威厳の感じられない、疲れた中年といった風情の男の顔。

確かに、怨念《おんねん》の如き魔力の渦は『蛇伯《ザッハーク》』の周囲を取り巻いているが、変化が起こる気配はない。

ただ悪意を撒《ま》き散《ち》らしながら男の焦りを煽っているだけだ。

――やはり、こんな杜撰《ずさん》な方法で神聖存在を呼ぶのは無理だったようだな。

『蛇伯《ザッハーク》』を注意深く警戒しながら、俺は思考を巡らせる。

魔法式はあっているのだろう。

こんな天変地異じみた環境変化を起こすくらいだ、途中までは成功していたのだ。

……だが、おそらく要素《ファクター》が足りなかった。

これは、俺も予想していたことではある。こういった儀式魔法は総じてデリケートだ。必要な要素が欠ければ発動しないか、不完全な発動に留まるのだ。

ユユの不在。そして、ミントという存在の不純化――俺との繋《リ》が《ン》り《ク》で半分同化した状態。

この二つの欠格があれば、おそらく儀式魔法の発動を止めるか遅らせるかできるだろうとは思っていた。予想の範囲内に入ってくれていて助かった。

もしかすると、俺の【反響魔法《エコラリア》】であれば、それら要素のスキップも可能かもしれないが、こんな危険な魔法を制限解除して発動する気はない。

……『光輪持つ炎の王《アータル・クワルナフ》』で懲《こ》りているしな。

「アストル！」

「ミント！」

いつの間にかミントは意識を取り戻していたらしい。

リックに連れられ、ふらついた足取りでこちらに歩いてくる。

そして、俺に力なく抱きついた。いつもとは違う弱々しい抱擁。

……その体を、俺も力一杯抱きしめる。

「ゴメン、捕まっちゃった」

「すまない、俺のミスだ。ミントが悪いわけじゃない」

『蛇伯《ザッハーク》』に杖を向けながら、ミントの背中をさする。

鎧越しではない柔らかな感触と少し高い体温が、俺の中でミントの存在を確かにしていく。

気を抜けない状態だが、安心はした。

……最悪の事態は避けられたのだ。

「『蛇伯《ザッハーク》』、詰みだ。魔法を解除しろ」

俺の言葉が届いたのか、頭を振って半ば恐慌状態に陥っていた『蛇伯《ザッハーク》』が動きを止めてゆっくりとこちらを見る。

その目には絶望と狂おしいまでの怒りが渦巻いていた。

「簒奪者め……またしてもアルシャを奪っていくのか……！」

「もうやめて！　あんた、アタシ達の父さんなんでしょ!?」

ミントの叫びにギクリと動きを止める『蛇伯《ザッハーク》』。

「お姉ちゃん！」

「無事か、ミント！」

ユユとエインズが階段を上がってくる。

「ユユ！　ちゃんと、無事ね？　もう、どうして来ちゃったのよ」

「話、聞いた、よ。あとで、お説教、だから！」

鼻声のミントとユユが抱き合う。

その後ろから、鎧武者がゆっくりと上がってくるのが見える。

「さて、チヨに傷をくれたのはどやつかな……？　ワシも暴れても良いのだろう？　どれ、死ぬほど痛む傷をこしらえてやろう」

「お父様、わたくしは大丈夫ですから、冷静になってくださいませ」

悠然《ゆうぜん》と階段を上がってくるレンジュウロウからは、周囲の魔力に負けない濃い殺気が溢れ出している。チヨが宥めるが、収まる気配はない。

「簒奪者どもめ……！　簒奪者どもめ……！　またしても邪魔をするのか、奪っていくのか。アルシャと私は結ばれる運命にあるのに……」

周囲に渦巻く濃密な魔力《マナ》が『蛇伯《ザッハーク》』に集まっていく。

まるで意志あるかのように振る舞うそれは、『アズィ・ダカー』の定着しなかった魂と精神を内包しているのかもしれない。

魔力による強風が吹き寄せ、俺達はじりじりと後退することとなった。

「ミント、あの男を……どうしたい」

「わからないわよ、そんなの！」

ユユ達の父らしいこの男を、なんとか取り押さえたいという欲はあるが、次のチャンスで仕留めてしまうべきだろうか。

このままだと、環境魔力《マナ》が枯渇して島自体が死んでしまう。そうなれば、この無尽蔵に魔力《マナ》を消耗する魔法式は強制的に島民や俺達の魔力《マナ》を奪おうとするだろう。

「……魔法式を停止するんだ！　島の魔力《マナ》が枯れてみんな死んでしまうぞ！」

『蛇伯《ザッハーク》』は俺の声に耳を貸すことなく、頭を振る。

「うるさい、私が『蛇伯《ザッハーク》』となって全てを正しく進ませるのだ！　奪い返し、支配するのだ！　そして、そしてアルシャとまた幸せな……ゴフッ!?」

その時、狂乱状態で魔法の風を吹かせていた『蛇伯《ザッハーク》』の腹を、何かが貫いた。

蛇のようにも見えたそれは、血に濡れた一本の腕。

「ご苦労様でした。『蛇伯《ザッハーク》』は吾《おれ》が引き継ぎます」

いつの間にか、『蛇伯《ザッハーク》』の背後にあの男が姿を現していた。

「お前は……！」

「ここまで追ってきたか、簒奪者のネズミ。ちょうどいい、吾《おれ》の即位と世界の真なる解放を間近で見るといい」

血に濡れた右腕を払って男が笑った。

「ペイヴァル……ッ！　お前、裏切ったのか……！」

「狂った父よ、マルダースよ。あなたは吾《おれ》の父ではありましたが……『蛇伯《ザッハーク》』の器ではなかった。神託にあった真なる王は、吾《おれ》です」

ペイヴァルと呼ばれた若い男の言葉に、『蛇伯《ザッハーク》』であった男が目を見開き、そのまま崩れ落ちた。

「バカな……それでは私はなんのために……」

「いま、この瞬間のために」

「くは、ははは、いいだろうペイヴァル……いや『蛇伯《ザッハーク》』。一足先に、神の血肉となって待つ……！」

床に倒れ込んだマルダースが黒化し、塵へと変じる。

「では、成そう！　神の降臨を！」

ペイヴァルが両手を振り上げると、周囲の暗い魔力《マナ》が生きた蛇のように渦を巻き、その両肩へと集まっていく。同時に、強烈な重圧が発生して俺達の動きを縛《しば》る。

「さぁ、カダールの娘達よ。我が妻達よ。吾《おれ》に傅《かしず》け、その身を委《ゆだ》ねよ。安寧《あんねい》と幸福のままに世界を蹂躙しようではないか」

不遜《ふそん》を絵に描いたような表情のペイヴァルが、誘うように手を差し出す。

「お断りよ……！」

「嫌い……！」

ミントとユユが揃って拒絶する。しかし、ペイヴァルの余裕の笑みは崩れない。

「拒否もいいだろう。……だが、古の盟約に抗うことはできない」

ペイヴァルの肩から黒い靄《もや》のようなものが伸び、その体を包み込んだ。

「っ……!?」

「力が……抜ける……」

繋がり《リンク》を通して、ユユとミントから理力《オド》が失われていくのを感じる。

「ユユ！　ミント！」

脳裏《のうり》に信者達が塵へと変わるあの光景がフラッシュバックし、俺は歯を食いしばって重圧の中で杖を構える。

「やめろ……！」

「ほう、この『神圧』の中で動くか……。神竜復活の礎としてふさわしい贄《にえ》だ」

〈魔法の矢《エネルギーボルト》〉を発動しようとするが、周囲の環境魔力《マナ》が魔法式の構築を邪魔して上手く発動できない。

俺はクレアトリの杖を床に突き立て、打ち鳴らす。小さな黄金の火花が散って、姉妹を包んでいた靄が散って晴れる。神聖存在たるミスラの力を使うとひどく魔力を消費するが、魔法が安定しない以上、力を借りるほかない。

「自分の妹を犠牲にしてなんとも思わないのかッ」

「同じ血族であるが故に痛みを分かち合うものだ。そもそもにしてこのために用意されたのだ、この二人は。信仰も道理もない、愚かな母と簒奪者によって失われたと思ったが……ウェルスで見かけたという話を聞いた時は耳を疑ったぞ」

薄く笑うペイヴァルの気配が、徐々に人ならざるモノへと変わっていくのを感じる。魂と精神が『アズィ・ダカー』に融合しはじめたのかもしれない。

「お姉ちゃん……！」

「わかってるわよ、ユユ」

解放された姉妹が頷きあって手を繋ぎ、小さく詠唱を始める。

信じられないことに、ユユの詠唱をミントが継いでいる。

血統魔法というのは本能に近いなんて言われているが……なるほど、そういうことか。

「*La pordegoj de malgxojo*（悲しみの門）」

「*La pordegoj de agonio*（苦悶《くもん》の門）」

「*La pordegoj de malespero*（絶望の門）」

「*Lasu nin proksime kun ŝlosilo*（鍵を以て閉じましょう）」

「*La ŝlosilo estas mi kaj mia*（鍵となるのは私と私）」

「*La mondo ne volas viziti*（世界は来訪を望まない）」

「*La mondo ne volas la finon*（世界は終わりを望まない）」

周囲に集められた膨大な環境魔力《マナ》と、魔力変換《マナコンバート》で集められた黒ずんだ魔力《マナ》が拡散していく。

やったか……⁉

ペイヴァルを取り巻いていた魔力《マナ》も消失するかのように思えたが……すぐに状況は元に戻ってしまった。ユユもミントも魔法詠唱を失敗していなかったと思うし、魔法式も完璧だったはずだ。しかし、現状を見るに、失敗したと考えるしかない。

「む、どうし、て？」

「なんで……消せないの……⁉」

驚愕《きょうがく》する姉妹をペイヴァルが鼻で笑う。

「愚かなことを。対策を打っていないと思ったのか？　なんのために父マルダースに祝詞を詠唱させていたと思っているのだ？」

小バカにした様子のペイヴァルの言葉で、状況をなんとなく理解できた。

姉妹が使用したのはこの儀式の詠唱者に影響をもたらす反対詠唱《カウンタースペル》だったのだろうが、発動者はすでに息絶えている。何かしらの手段によって、魔法効果の享受者《きょうじゅしゃ》の立場だけを得たペイヴァルには影響がないということだろう。

徐々に姉妹の髪が毛先から白く変化していく。理力《オド》漏出による副作用か、それとも儀式の影響かは不明だが、いずれにしてもマズイ状況だ。

「……時は満ちた。今こそ、今こそッ！　復讐の時だ！」

ペイヴァルが高らかに宣言すると同時に、巨大な地響きが聞こえ、大地が震動しはじめた。

そして、彼の周囲に黒く澱《よど》んだ魔力《マナ》が滞留《たいりゅう》し、回転し、周囲を震わせる。

……まるで、魔力でできた黒い繭《まゆ》のようだ。

震動に耐えながらエインズとレンジュウロウが叫ぶ。

「何が起こるってんだ!?」

「わからぬ。だが、神殿が崩れそうじゃ……。一度この場を離れた方がよい」

変化があってからペイヴァルから放たれる圧力こそ弱まったが、神殿の床には幾筋《いくすじ》もひびが入り、今にも崩壊しそうだ。このままでは崩落《ほうらく》に巻き込まれる可能性がある。

「ユユ、ミント！」

俺の問い掛けに、二人が応える。

「ん。だいじょぶ……でも、体、だるい」

「動けるわ、大丈夫よ」

俺はすっかり白髪《はくはつ》になった二人を助け起こす。

よく見ると、瞳まで色が抜けて、灰白色になっている。

「目は見えているか？　他に不調は？」

「魔力、ない。魔力枯渇《マナエンプティ》しそう」

安心したが、疑問が湧き出る。普通、理力《オド》を抜かれたのだからそれどころではないと思うのだが……どういうことだ？

それに、本来ならユユとミントの魂と血肉を使用して初期顕現を行うはずだ。

二人は生きているし、理力《オド》の崩壊も起きていない。

「……なるほどな。そのためのマルダースか」

最初から同じ血族である姉妹の父《マルダース》を使うつもりだったのだ。

姉妹に求めたのはカダールの姉妹であるという要素だけ。

本来ならば儀式魔法の詠唱には〝伝承〟を受けた姉妹の協力が必要だが、その協力を取り付ける気はさらさらなく、最初から詠唱はマルダースにさせるつもりだったのだ。

魔法式に姉妹の理力《オド》を含ませておけば、要素的には事足りると、ペイヴァルは知っていたのだろう。どうやら彼は、とても魔法に聡《さと》い人物のようだ。

この複雑な儀式魔法を一から十まで全て研究し尽くし、構成要素を切り離して考えられる——つまり、俺やマーブルのように魔法式を〝見る〟ことができるのではないだろうか。

ならば、ここにユユを連れてきたのは失敗だったか……！

この場に二人が揃った時点でペイヴァルとしては勝ったも同然だったに違いない。

「完全に戦略の上を行かれた。くそ……どう止める？　ミスラを使うか」

急いで階段を駆け下りながら、思考を巡らす。

「あの子《ミスラ》でも止められない、よ。もうすぐ、来ちゃう……！」

地鳴りが大きさを増し、神殿から見下ろせる島のいくつかの場所で地面が大きく隆起《りゅうき》している。

目を凝らすと、その下から巨大な生物が大地を割って現れようとしているのが確認できた。

「竜達が、目覚める……！」

「うへぇ、マジで世界終了を感じる絵面《えづら》だが……何か手は？　相棒」

リックが顔を引きつらせながら問いかけてくる。

……成功率はともかくとして、プランはある。しかし、打てる手はそう多くない。

ほとんどのプランは儀式を発動させないことを前提に置いていたのだ。

だが、こうなってはやるしかないだろう。

「エインズ！　みんなを連れてドアルテの船まで後退してくれ」

「おう。……って、アストル、テメェはなんで立ち止まる⁉」

「あそこに見えているドラゴンを仕留める。受肉用の理力《オド》を減らしてやれば顕現の時間を遅らせられるはずだ」

「バカ抜かすな、魔法使い一人で何ができるってんだ！」

「ミスラを呼んで、広範囲の古代魔法を使う。みんなを巻き込んだらまずいし、二人を退避させるのが優先だ」

杖の中にいる人工神聖存在——ミスラに意識を集中させる。

揺らぎと共に、肯定の波動が見えた。ミスラもやる気充分のようだ。

「さあ、行ってくれ。すぐに追いつくから二人を頼むよ」

「アストル！　だめ……」

悲痛に叫ぶユユの髪を撫でて宥める。

「大丈夫だ、ユユ。俺は〝すごい〟んだろ？　なんとかしてみせるさ」

杖に意識を集中すると、ミスラの意思が伝わってくる。

高揚しているようだが、あんまり派手に俺の理力《オド》を食い荒らしてくれるなよ……。結構負担が大きいんだからな。

「俺の力じゃミスラもそう長い間は顕現させていられない。狙うなら動きの鈍い今しかない……！」

「……承知した。ゆくぞ、エインズ」

レンジュウロウは俺の意図を汲《く》んでくれたようだ。

「ああ、そうだミント。これ、持っておいてくれ」

『魔法の鞄《マジックバッグ》』を腰から外してミントへ手渡す。

「中にミントの装備が一式入ってる。どこで戦闘があるかわからない、体力が復帰したら前線を頼む。……ユユを守ってくれよ？」

「……うん。大丈夫、よね？」

不安げなミントの手を取って抱き寄せて、魔法の言葉《キーワード》と共に額に口づけする。糸が途切れるような感覚が、意識の奥であった。

これで、繋《リンク》がりはカットした。もう、俺から離れても問題ない。

「……本当に無事で良かった。帰ったら屋台回りをしよう。食い損ねた分を補完しないとな」

「うん、うん……！　絶対よ！　すぐだからね!?」

これで良し。気が付いてなさそうだ。ここで感情を読まれると、いろいろバレるからマズいしな。

「リック頼んだぞ」

「相棒、貸しだからな？」

「返せる時に返すさ」

小さく拳を当てて笑いあう。これが今生《こんじょう》の別れになるかもしれないが、来世で返せば文句はあるまい。利子などつけられたら、たまったものじゃないけどな。

「じゃあ、行ってくる」

少し無理してユユに笑って見せてから、俺は駆ける。

走りながら速度系の魔法を自分へと唱えていく。

目指すはこの先で姿を現した茶褐色の巨竜だ。

『蛇伯神殿』の上から確認した限り、直近に出現したこのドラゴンが最も巨大。

つまり、こいつを叩けば少なからず完全復活までの時間を減じられるはずだ。

樹木が枯れ果てて貧相になってしまったジャングルを駆け抜け、その足元へと到着する。

……やはり大きい。

ウェルスで対峙した陸竜《ランドドラゴン》の十倍以上の体躯《たいく》だ。

「ミスラッ！　吹き飛ばせ！」

杖から輝きと共に顕現した小さな子供のような神聖存在《ミスラ》が飛び出し、地中から蘇ったばかりの巨竜の頭を殴りつける。

光輝を伴った拳から放たれた一撃で、巨竜の頭は再び地面にねじ込まれた。だが、まだ生きているようだ。

「本当にこのタイプの生物は丈夫ですね」

ミスラはため息混じりに光の球を連続で放つ。

土煙が上がり、頭部が消し飛んだドラゴンの死体がそこに残った。

「……まず一体ッ」

次のターゲットを探すべく、顔を上げて周囲を見回す。

しかし、俺の目に映ったのは、深刻な事態を迎えた現実だった。

崩れ落ちた『蛇伯神殿』の上で暗闇の如く蠢《うごめ》く繭。その繭に数匹の竜が、今まさに〝捕食〟されている。今仕留めたデカブツは大きすぎて出現が遅れたが、足の速い連中は我先にご主人様の血肉となるべく飛んだらしい。

見上げる俺の上空を今まさに次の竜が通り過ぎる。

「ミスラ、撃ち落とせ!」

「はい」

螺旋状《らせんじょう》に放たれた光輝《こうき》の弾丸がドラゴンを追いかけて、その体を穿《うが》ち、爆《は》ぜさせる。

しかし、繭はまるで生き物か何かのように黒い魔力の触手を這《は》わせて墜落《ついらく》したドラゴンを捕食する。

「仕留めそこないました。アレは丈夫すぎます。そして、時間切れです……主様。これ以上顕現を保っていられません」

「く……ッ」

「撤退を強くお勧めします。顕現が、始まりました」

ミスラに告げられて黒い繭を見ると、巨大に膨れ上がったそれにひびが入り、何かが中から生まれ出でようとしていた。

「あれが、『アズィ・ダカー』……〝終末の蛇伯〟か」

黒く巨大な体躯は『蛇伯神殿』ほどもあり、巨大な尾が周囲の枯れた大地を薙《な》ぎ払《はら》って砂埃《すなぼこり》を上げている。人の上半身に似た上体からは四本の腕が生え、下半身にも太い脚が四本。

それぞれには長さのまばらな鋭い爪が生えており、一振りされれば俺なんて消し飛びそうだ。

「「「我を畏《おそ》れよ」」」

ペイヴァルの声に少し似た声は三つある頭から発せられている。

肩付近から伸びる左右の長い首は蛇に似た頭部を持ち、うねっている。

こちらを見据えるひときわ巨大な中央の頭部だけは、棘《とげ》と角を備えたドラゴンのもの。

その赤い双眸《そうぼう》が、俺をじっと睥睨《へいげい》している。

「……最後の力で目くらましをします。撤退を」

「もう一つ、試してからな。ミスラ、少しだけ、もう少しだけ時間を稼いでくれ」

「そう保《も》ちませんよ?」

「魔法使いらしく、大型の魔法を試してから撤退する。このままじゃ、船での脱出もままならない」

頷いたミスラが飛び上がっていく。

『アズィ・ダカー』はゆっくりと周囲を踏み鳴らすように動いているが、俺をどうしてやろうかと考えているのかもしれない。……まだ、ペイヴァルの意思が残っていればだが。

「よし……」

クレアトリの杖を握りしめ、精神を集中させる。

少しのミスも許されない。

息を深く吸い込み、精神をフラットにしていく。

できるはずだ。

……いいや、必ず成功しなくてはならない。

「――*Batalo ĉe la vespero, viva ruĝa kiel sango, La plorado de la forgesitaj homoj*（夕暮れ時の戦場、血のように鮮やかな赤、忘れ去られた者達の慟哭《どうこく》）」

魔法式を正確に組み立てつつ、詠唱を始める。

死ぬ気はないが、死ぬ気でやろう。

たかだか☆1の俺に、〝出し惜しみ〟などという高尚《こうしょう》な戦術が取れようはずもない。

全力で、精密で、完璧な詠唱を！

「*Ah, vokante min bone …… Vestu la vestojn de karzura Reĝo de detruo!*（嗚呼《ああ》、偉大なりや……汝、

紅《くれない》纏《まと》う破壊の王よ！）*Li starigis antaŭ mi kaj diris al la malsagxuloj la nomon de tiu fajro!*（我が前に立ちふさがりし愚か者どもに、その炎の名を告げたもう！）――*Atar-Khvarenah!*（アータル・クワルナフ！）」

今まさに動き出そうとした『アズィ・ダカー』が、魔法式の完成と共に巨大な火柱に呑み込まれる。

頭が焼けつくような感覚と共に、強烈な倦怠感《けんたいかん》が体を襲い、俺は思わず片膝をつく。

だが、まだ意識を飛ばすわけにはいかない。

……コントロールだ。魔力変換《マナコンバート》を完全にコントロールすれば、魔力枯渇《マナエンプティ》で意識を失うことはないハズ。

途切れ途切れの意識を繋ぎ止めながら、理力《オド》を魔力へと変換し、定着させる。

「「「ガアアアアアアッ！」」」

巨大な火柱に包まれて、『アズィ・ダカー』は咆哮なのか悲鳴なのかわからない声を上げる。その姿を視界に捉えつつ、俺は途切れかけの意識から【反響魔法《エコラリア》】を使って〈光輪持つ炎の王《アータル・クワルナフ》〉の魔法を拾い上げる。

……本命はこちらだ。

魔力《マナ》の消費なしで直前の魔法を再発動できる【反響魔法《エコラリア》】ならば、瞬間的な現象としてではなく、『光輪持つ炎の王《アータル・クワルナフ》』そのものを顕現させられる。

世界の終焉を招く暗黒竜を相手取るのだ……こちらも世界を滅ぼせるような力を使うしかない。

コントロール不可能な力には違いないが、積極的に世界を滅ぼさんとする暗黒竜《アズィ・ダカー》よりはずっとマシだ。

「頼むぞ……炎の王……！」

【反響魔法《エコラリア》】で〈光輪持つ炎の王《アータル・クワルナフ》〉を再度発動する。

同時に、『アズィ・ダカー』の周囲で足止めをしていたミスラが光の粒となって消失した。

その直後、蛇の首の一つが冷気を伴った青白い光を俺に向けて発射する。

枯れ木の山となったジャングルを凍結させながら迫るそれを、深紅《しんく》の炎が打ち払った。

水蒸気で煙《けぶ》る俺の視界に現れたのは、紅《あか》くはためくマント。

「来てくれたか、『光輪持つ炎の王《アータル・クワルナフ》』……！」

『〈再びまみえようとはな、魔法使いよ〉』

相変わらずの魔法言語ではあるが、以前呼び出した時と比べると幾分聞き取りやすい。

「ずいぶんと聞き取りやすくなったよ」

『〈お前が召《よ》んでおった幼子《おさなご》がそうしておったからな。しかし、暗黒竜《アズィ・ダカー》とは……！〉』

一歩踏み出した炎の王から、少しばかりの愉悦《ゆえつ》が見え隠れする。この状況のどこに楽しむべき要素があるのか見当たらないが……

俺は片膝立ちのまま『光輪持つ炎の王《アータル・クワルナフ》』に頭を下げる。

「力を貸してくれないだろうか、王よ」

『〈言われずとも。あやつの相手に我を呼んだのは、お前にとって幸運だった〉』

黒い影のようにしか見えない『光輪持つ炎の王《アータル・クワルナフ》』が双剣槍《ツインランサー》を構える。

『〈アレは我にとって、最も古き敵でもある〉』

『光輪持つ炎の王《アータル・クワルナフ》』が、迫る『アズィ・ダカー』に向かって巨大化した双剣槍《ツインランサー》を投擲《とうてき》した。

複数の赤熱した爆発が起きて、『アズィ・ダカー』は少しばかり怯んだものの、決定的な打撃とはならない。

『〈ふむ。魔法使いよ、これはいけない〉』

「やはりか……！」

悪い予想が的中した……というよりも、客観的に考えて力が足りないだろうと思っていたのだ。

何せ、いくら制限を解除した状態での召喚、顕現といえども、『光輪持つ炎の王《アータル・クワルナフ》』は精神体《アバター》としてこちらに存在している。ドラゴンと『ダカー派』達の血肉を取り込んで受肉した『アズィ・ダカー』とでは、使用できる力の密度が違う。

「〈来るぞ〉」

動きの鈍い俺を抱えて、『光輪持つ炎の王《アータル・クワルナフ》』が猛スピードで飛翔する。

そして先ほどまでいたその場所を巨大な三筋のエネルギーが通り過ぎていった。

あの規模ともなると、息《ブレス》と呼ぶのも憚《はばか》られる。もはや災害そのものだ。

「炎の王よ、打開策は？」

『〈魔法使いよ、王に策を授けるのはお前の仕事ではないのか？〉』

そう返されて言葉に詰まる。残念ながら、なけなしのプランはこれで打ち止めだ。ここからは何をするにもぶっつけ本番の綱渡りになる。

「「我を畏れよ。捧げよ、世界を捧げよ」」

高エネルギー線や稲妻を三つの口から迸らせながら、『アズィ・ダカー』が前進を始める。

もはやペイヴァルの意識は残っていないのか、俺にも興味がないようだ。

進行方向には、『ダカー派』の村落がある。

あの〝畏れよ〟〝捧げよ〟という口ぶりからして、積極的に都市や人間などを狙う本能でもあるに違いない。

そして、おそらく……その理力《オド》を喰らってさらに強大な存在になる。

例の終末を記した『ヴェンディの書』には〝世界の三分の一を喰らう〟と記載されていた。

何故滅ぼすのに三分の一なのかと疑問に思っていたが……なるほど、世界の三割ほど口に入れれば、もはや『アズィ・ダカー』を止めることができないという意味だったのだ。

それに、こいつをこのまま行かせれば、課題で『西の国《ウェストランド》』の南沿岸部にいるはずのシスティルや、ウェルスにいるパメラが危険に晒《さら》されることになる。

もちろん、すぐそばにいるユユ達もだ。

「『光輪持つ炎の王《アータル・クワルナフ》』、偉大なる炎の神よ……。俺の体を依り代に使ったら、アレを仕留めるに至るだろうか？」

『〈魔法使いよ、お前の体は受肉に耐えられないだろう。きっと死んでしまうぞ〉』

「それは困るけど……今、ここでアレを止められない方がもっと困る」

『アズィ・ダカー』の存在自体が、姉妹の命を脅かす。召喚の要素として組み込まれている以上、今もなお、姉妹は影響下にあるはずだ。

アレはきっと二人を狙う。その魂と肉体を喰らうことでより完全となるために。

『〈蛮勇《ばんゆう》か？　諦観《ていかん》か？　自棄《やけ》か？〉』

少し考えてから、俺は答える。

「〝祈り〟と〝覚悟〟さ、『光輪持つ炎の王《アータル・クワルナフ》』。至らぬ身で守りたいものがたくさんあるんだ。……それが俺の身一つで守れるなら、安いものだよ」

表情などないはずの王の黒い相貌《そうぼう》に、笑みが浮かんだような気がした。

『〈魔法使いよ、契約者よ。その名を聞こう〉』

「アストル」

『〈我がもう一つの神性と縁ある名でもある、か。ならばアストル……始めようぞ〉』

『光輪持つ炎の王《アータル・クワルナフ》』がゆらりと揺らめき、深紅の炎となって俺を包み込む。

吸い込まれるような、引き裂かれるような、それでいて自分が指先から消えていくような奇妙な感覚が押し寄せて、徐々にそれを意識できなくなっていく。

寄せては返す波の如き何かが、少しずつ『俺』を削《そ》いでいくのがわかる。

『俺』はここまでか。

だが……これでいい。アレがいる限り、姉妹に安寧はない。

救われた恩もある、愛された実感もある、そして何より……俺は二人を救いたい。

暗く沈んでいく意識に、光が差した。

暗闇に溶けて沈み、消えかけていた意識が徐々にはっきりしてくる。

……俺の手を、誰かが握っている。

「「……アストル！」」

目を開けると、そこには姉妹《ふたり》がいた。

「ユユ……ミント……？　どうして、ここに？」

「繋がり《リンク》がいつの間にか切れてたから、おかしいと思って引き返してきたのよ！　このおバカ！

アンタが死んだらアタシ達はどうしたらいいの!?」

「アストル、一緒に……いるよ。だから、無茶はしないで。お願い、だよ」

ミントとユユに引き上げられて、俺は立ち上がる。

「おっと、アストル。目が覚めたか？」

盾を構えたエインズがこちらに視線を向ける。

「エインズ、それにみんなも」

よくよく周囲を見ると、先に行かせたはずの仲間が勢揃いしていた。

リックは前方でチヨと共に真っ黒い影のような『竜従者《ディーヴ》』と戦っている。

レンジュウロウは抜刀の構えのまま、じっと機を待っているようだ。

まさか、『アズィ・ダカー』を両断するつもりだろうか。

「ミントの様子がおかしかったのでな、理由を聞いて引き返してきたのよ。許せ、アストル。泣く子には勝てぬ」

「泣いてなんかないわよッ！」

赤面するミントの目が、少し充血しているのがわかった。

『〈アストルよ。汝は幸運であった〉』

『光輪持つ炎の王《アータル・クワルナフ》』の姿は見えないが、声は聞こえる。

どうやら、まだ顕現してくれているようだ。

「『光輪持つ炎の王《アータル・クワルナフ》』……！　俺を喰い尽くしたのではなかったのか？」

『〈カダールの姫姉妹がいるのであれば、紡《つむ》がれる物語も、語り継がれるべき伝説も、異なったものとなる〉』

『光輪持つ炎の王《アータル・クワルナフ》』の言っていることがいまいち理解できない。

魔法言語を読み違えたか？

『〈魔法使いよ、アストルよ。伝説の再現と終末の昇華《しょうか》をはじめよう〉』

「できることならなんだってするさ……この状態を見ればな」

意識を失っている間に、環境にどのような変化があったのかは定かでないが、複数の『竜従者《ディーヴ》』達がこちらに迫ってきていた。

それを、リックとチヨ、それにエインズが押し止めている。

姿形は、以前見た『竜従者《ディーヴ》』に酷似しているが……もはやその目に理知の光はなく、人らしい気配もない。耳障りで金属質な叫び声を上げる、獣のような存在に成り果ててしまっている。

『〈『竜従者《ディーヴ》』どもが増えてきたな。暗黒竜《アズィ・ダカー》め、いよいよ世界を食い荒らす気らしい。急ぐとしよう〉』

立ち上がり、ずいぶんとこちらに近づいてきた『アズィ・ダカー』を見上げる。

「ああ、何をするか知らないが……俺は俺にできることをする」

『〈では、姉妹嫁よ……できるであろう？　詩《うた》を。〝伝承〟されているはずだ〉』

「詩《うた》だって？」

そう促されて、二人が小さく頷きあう。二人にも『光輪持つ炎の王《アータル・クワルナフ》』の声が聞こえているようだ。

俺の手を取り、さらに姉妹が手を繋ぎあって……小さく、しかしながら朗々と、歌うように魔法を紡いでいく。

それに呼応して、俺の知らない魔法式が周囲に立体的に組み上がっていくのがわかった。

複雑すぎるし、何より俺に理解できない魔法式が混じっている。

……これが血統魔法の神髄《しんずい》か。

「始まった！　絶対に近づけさせせんじゃねぇぞ！」

エインズが声を張り上げた。

それに呼応してリックが速度を上げ、チヨが忍術を放つ。

しかし、それでも沸き上がるようにどんどん『竜従者《ディーヴ》』が押し寄せてくる。

とてもじゃないが、こんな人数で押し止められる数じゃない。

「『光輪持つ炎の王《アータル・クワルナフ》』、このままじゃ……！」

『〈堪《こら》えよ、伝説の再現と具現化をこの世界に引き出して同期させるには、時間がかかるのだ〉』

何をしようとしているのかはわからない。

ただ、これが有効な一手であるということはなんとなくわかる。

……だが、だが！

このままではエインズ達が死んでしまう！

『〈……時は来《きた》れり〉』

『光輪持つ炎の王《アータル・クワルナフ》』が俺の脳裏で囁《ささや》いた。

詠唱と共に姉妹が薄く光を放ち……それが徐々に強くなっている。

「——*Shahrnāz ĵuri la amon de vero*（シャフルナーズは真実の愛を誓います）」

「——*Arnavāz ĵuri la amon de vero*（アルナワーズは真実の愛を誓います）」

ユユとミントが、俺の頬に同時に口づける。

「*King kaj heroo*（英雄にして王）」

「*Drako en la drako de punaj la*（竜の討伐者にして竜）」


「「*Via nomo estas*——*Fereydun!*（汝の名は、フェリドゥーン）」」


姉妹の詠唱の完成と共に周囲に金色の燐光《りんこう》が溢れ出し、それが俺に流れ込んでくる。

燐光を形作る粒子の一つ一つが何かの存在そのものであり、力の形の一つだった。

『〈アストルよ、聡いお前なら理解できるな?〉』

理解できるとも。

遥か古代、別の世界の神話の再現、確定事象の具現化、因果律《いんがりつ》の操作……。そして、それをなしうる存在を俺と同調させたのだろう。

「アストル。そう長くは、保たない……別の世界の、『確定事象』を、無理矢理この世界に引き込んでる、から」

「難しいことはわかんないけど、アタシ達も頑張る。頼んだわよ……!」

そう告げると、ユユとミントは両手を繋いで、詩を歌いはじめる。

魔法式が多分に含まれているのに、とても美しく切ないメロディラインが、周囲の金色の燐光をさらに輝かせる。

『〈ゆくぞ、アストル。竜伐の英雄王《フェリドゥーン》たる役回り、果たしてみせよ〉』

「ここまでお膳立てされたんだ……仕留めてみせるさッ」

体に宿る『光輪持つ炎の王《アータル・クワルナフ》』の力を顕現させて、深紅のマントを纏う。

このマントがはためくだけでも『アズィ・ダカー』には相当なプレッシャーをかけられるはずだ。

何せ、『アズィ・ダカー』はかつて『光輪持つ炎の王《アータル・クワルナフ》』と何度も戦い、負けているのだから。

空へと飛び上がり、意識を集中させる。

目標は、俺に向けて憎悪の咆哮を放つ暗黒竜だ。

「力を、借りる」

『〈存分に揮《ふる》え。我《おまえ》は今、お前《われ》でもあるのだから〉』

「……今度こそ、完全に滅びてしまうがいい」

その言葉は俺のものか『光輪持つ炎の王《アータル・クワルナフ》』のものか、それとも、古の『竜伐の英雄王《フェリドゥーン》』のものか。

……いずれにせよ、結果は同じだ。

俺が放った太陽の如き光輪が『アズィ・ダカー』を直撃して、その身を大きく吹き飛ばした。

「「まさか……まさか……！」」

巨大な首を振り、土煙を上げながら体勢を立て直した『アズィ・ダカー』が俺を見る。

竜と蛇の顔に表情筋があるかは不明だが、その顔に恐怖や焦りがにじんでいるようにも思える。

それはそうだろう。覇権《はけん》を競って敗退した神、『光輪持つ炎の王《アータル・クワルナフ》』と、自らを討滅《とうめつ》した『竜伐の英雄王《フェリドゥーン》』の両存在が同時に顕現、介在しているのだ。

『〈アストル、遠慮することはない。滅せよ〉』

「言われずともッ！」

接近し、体当たりを加える。

「たぁぁッ！」

そして、『竜伐の英雄王《フェリドゥーン》』の力の一端である魔法の矛《ほこ》を出現させ、力任せに振るう。あいにく俺には武器を扱う類のスキルはないが、『竜伐の英雄王《フェリドゥーン》』と存在同位している今ならば手に馴染《なじ》んだ武器のように使うことができる。

「「またしても、またしてもか……！　簒奪者よ」」

『アズィ・ダガー』の剛腕《ごうわん》が俺を捉えようとするが、それを矛でいなす。

返す動作でその腕を細切れにしてやったが、傷口から血の代わりに蛇や蜥蜴のような魔物が這い出してくる。これでは、魔物《モンスター》を増やしてエインズ達を危険に晒すだけだ。

「くそ、一気にカタをつけるしかないか」

『〈光輪を使うがよい〉』

俺の背後に後光《ごこう》の如き光輪が出現する。

虹色に強く輝くこれこそが、『光輪持つ炎の王《アータル・クワルナフ》』の本領である。

「……やってやる！」

それに魔力《マナ》と理力《オド》を注ぎ込み、より強く輝かせる。

こればかりは、この世界の……俺というリソースを消費してしか使うことができないみたいだ。

それでも、出し惜しみなどしない。

「「我を……我を畏れよ!!」」

「くっ」

好機と見てか、『アズィ・ダガー』の対の蛇頭が長く伸びて左右から俺を食い殺そうと迫る。

……が、その内の一本が枯れたダマヴンド島の大地にぼとり、と落ちた。

続いて、もう片方の蛇頭もずるりと斜めに切り裂かれて落ちる。

「ふむ……神を断つには至らぬか。ワシもまだまだよな……」

そう呟きながら、レンジュウロウが俺を見上げて口角を上げた。

トドメは任せた、と言わんばかりの顔で。

おかげで光輪の出力は充分だ。

今こそ、神話の再現と、成し得なかった伝説の昇華をはじめよう。

「『光輪持つ炎の王《アータル・クワルナフ》』手伝ってくれ……魔法を構築する」

『〈これだけの天光を集めておきながら、魔法とな？〉』

「ああ、俺は魔法使いなんでな……ッ！」

天輪を回転させ、その魔力を凝縮《ぎょうしゅく》させていく。

「*Ĉielo kaj la tero de eterna trans,*（天地久遠《てんちくおん》の彼方《かなた》より）*Mi ricevis la vero.*（我、真理を得たり）*Ho ĉielo lumo, antaŭ la vido de mia vero, estas kiu estas nia mem!*（天光よ、我が真理を照らしたまえ、それこそが我そのものである）*La juĝo mil jaroj de perfido!*（千年の悪逆に裁きを）*Lasu elsendas flamo al la malica reĝo kaj mallumo drako koro!*（悪しき王と暗き竜の心臓に炎を放て）」

魔法式が完成するたびに、『アズィ・ダカー』の体を締め付けるように光輪が構築される。

もがく暗黒竜が大地を揺らすが、その体は英雄のスキルである巨大な鎖でもって大地に縫《ぬ》い留《と》められている。

あと数節の魔法式が完成すれば、俺達の勝利だ。

「……！」

……が、ここで問題が発生した。

姉妹の詩が途切れた。ボロボロの状態でここまでしてくれたのだ、二人とも魔力枯渇《マナエンプティ》を起こしたって不思議ではない。

俺は『竜伐の英雄王《フェリドゥーン》』の力が剥《は》がれ落ちないように、必死に意識を集中させる。魔力《マナ》と理力《オド》を加速度的に消費するが、仕方あるまい。

……ここからは俺が踏ん張るところだ。

『〈魔法使いよ、アストルよ！　これでは……！〉』

「『光輪持つ炎の王《アータル・クワルナフ》』、あと一つだけだ……！　俺の理力《オド》を喰らっていいから……あと一つ魔法式を構築するまで保たせてくれッ！」

それが何を意味するか、『光輪持つ炎の王《アータル・クワルナフ》』も、そして俺自身も理解していた。命には『賭け時』がある。

……俺の場合、それは今だ。

「*Punu la drakon, por ke via vivo neniam vivu denove!*（竜伐《りゅうばつ》せよ、その身に二度と命が灯《とも》らぬように）」

最後の魔法式を組み上げて、手を握りしめる。

それに合わせて光輪が狭まり、空間ごと『アズィ・ダカー』を捻り、押し込み、拘束していく。

最後の一撃とばかりに『アズィ・ダカー』から放たれた黒い閃光《せんこう》が俺を貫いた。しかし、そんなことに構ってはいられない。

「ぐ……ッ!!　ぁぁあああぁッ!!」

体から大量の理力《オド》が失われていくのを感じるが、ここでしくじればみんな死ぬ。

召喚・トリップ系

こっちの都合なんてお構いなし!?
突然見知らぬ世界に呼び出された
主人公たちが悪戦苦闘しつつも
成長していく作品。

月が導く異世界道中

あずみ圭

既刊14巻＋外伝1巻

両親の都合で、問答無用で異世界に召喚されてしまった高校生の深澄真。しかも顔がブサイクと女神に罵られ、異世界の果てへ飛ばされて――!?とことん不運、されどチートな異世界珍道中！

最強の職業は勇者でも賢者でもなく鑑定士（仮）らしいですよ？

あてきち

異世界に召喚されたヒビキに与えられた力は「鑑定」。戦闘には向かないスキルだが、冒険を続ける内にこのスキルの真の価値を知る…！

既刊6巻

装備製作系チートで異世界を自由に生きていきます

tera

異世界召喚に巻き込まれたトウジ。ゲームスキルをフル活用して、かわいいモンスター達と気ままに生産暮らし!?

既刊5巻

もふもふと異世界でスローライフを目指します！

カナデ

転移した異世界でエルフや魔獣と森暮らし！別世界から転移した者、通称『落ち人』の謎を解く旅に出発するが…？

既刊4巻

神様に加護2人分貰いました

琳太

便利スキルのおかげで、見知らぬ異世界の旅も楽勝!?2人分の特典を貰って召喚された高校生の大冒険！

既刊5巻

価格：各1,200円＋税

転生系

前世の記憶を持ちながら、
強大な力を授かった主人公たち。
現実との違いを楽しみつつ、
想像が掻き立てられる作品。

異世界転生騒動記

高見梁川

異世界の貴族の少年。その体には、自我に加え、転生した２つの魂が入り込んでいて!?　誰にも予想できない異世界大革命が始まる!!

既刊14巻

転生王子はダラけたい

朝比奈和

異世界の王子・フィルに転生した元大学生の陽翔は、窮屈だった前世の反動で、思いきりぐ～たらでダラけた生活を夢見るが……？

既刊9巻

元構造解析研究者の異世界冒険譚

犬社護

転生の際に与えられた、前世の仕事にちなんだスキル。調べたステータスが自由自在に編集可能になるという、想像以上の力で——？

既刊6巻

異世界ゆるり紀行

水無月静琉　　既刊8巻

転生し、異世界の危険な森の中に送られたタクミ。彼はそこで男女の幼い双子を保護する。2人の成長を見守りながらの、のんびりゆるりな冒険者生活！

素材採取家の異世界旅行記

木乃子増緒　　既刊8巻

転生先でチート能力を付与されたタケルは、その力を使い、優秀な「素材採取家」として身を立てていた。しかしある出来事をきっかけに、彼の運命は思わぬ方向へと動き出す—

価格：各1,200円＋税

ならば、俺が諦《あきら》めるわけにはいかない。

気合と共に、拳を完全に閉じきる。

その動作に連動するように、光の球となった光輪の集合体が閃光となって周囲を照らす。

『――〈天光満ちる英雄神話《アフラ・マズダー》〉』

その光は島の隅々までを照らし、『アズィ・ダカー』の眷属たる者をことごとく呑み込んでいった。俺がそう魔法式を組んだのだ。

「ぐ……がはッ」

咳込《せきこ》みながら、俺は墜落する。

脳裏で小さく『光輪持つ炎の王《アータル・クワルナフ》』の声が聞こえた。

『〈此度《こたび》の戦い……見事であった。宿命と縁は繋がった。いずれまた相まみえよう〉』

徐々に小さくなるその声に、〝あんたを呼ぶような戦いはもうしたくないよ〟と苦笑しつつ応える。

『竜伐の英雄王《フェリドゥーン》』はすでに意識の外だ。

一度も言葉を交わさなかったが、英雄というのは意外とシャイなのかもしれない。

地面に激突する前に、ふわりと空中で受け止められ、着地する。

「お怪我は……ああ、これはひどい」

俺の傷の具合を調べたチヨが、軽く目を背《そむ》ける。

その顔を見て、自分の深手を理解しつつ、俺は『アズィ・ダカー』が消えた一点に目を向ける。

こっちは満身創痍《まんしんそうい》で動けやしないというのに、そこには一つだけ黒く動く影があった。

「ペイヴァル……！」

「簒奪者どもめ……我を、畏れよ……！」

全身を黒い鱗に浸食されたペイヴァルの両眼が怪しく光り、暗い輝きを放つ光線が伸びる。

俺を撃ち抜いたアレと同じものだ。

「ぐぁ……！」

「む、ぐう」

一筋がエインズを捉えて構える盾ごと吹き飛ばし、もう一筋は動けない俺を庇ったチヨの肩をかすめる。

「滅びよ、讃《たた》えよ……！」

「まだ、存在《いき》していたのか！」

……だが、手を残しているのはこちらも同じだ。

意識の端にピン止めされたそれを引き剥がして、具現化する。

「〈天光満ちる英雄神話《アフラ・マズダー》〉……ッ！」

もう二度と使用できないであろう神話級魔法を【反響魔法《エコラリア》】で再現して、ペイヴァルへと向ける。

同時に放たれた黒い光線が俺の腹を削り取っていったが、構うものか。

……これで、今度こそこれで終わりのはずだ。

再び、輝く光輪がペイヴァルを拘束し、収束していく。

しかし、今度は完全に収束しきらない。

「くはは……ッ！　この魔法では、我を止められんぞ」

「その割には効いてるようじゃないか、『蛇伯《ザッハーク》』……！」

魔法は効いているが、完全に作用していない。

推測するに、この状況は誤算で、盲点《もうてん》だった。

〈天光満ちる英雄神話《アフラ・マズダー》〉は〝伝説の暗黒竜を滅ぼす魔法〟であって、ペイヴァルのような人間を滅する魔法ではない。現在はペイヴァルが宿す『アズィ・ダカー』の要素に反応してかろうじて起動しているだけで、いずれその機能を減じて消滅するだろう。

浄滅の光を浴びていれば、眷属たるペイヴァルも対象となるはずだが……『アズィ・ダカー』の心臓となっていたためにかえって先ほどはその影響を受けなかったと推測される。

このまま〈天光満ちる英雄神話《アフラ・マズダー》〉を耐えきり、その後に俺達を喰らって再び『アズィ・ダカー』として復活を遂《と》げるつもりか。

「忌々《いまいま》しい炎神も簒奪者の王もおらぬ。そして、もはや貴様らでは我には届かぬ……」

「さて、どうかな……！」

「虚勢《きょせい》を張るか、魔法使い」

俺の返答を、ペイヴァルが嘲笑《ちょうしょう》する。

徐々に光輪の力が弱っているのを感じているのだろう。その顔には余裕と侮《あなど》りが見てとれる。

さて……

全てのカードを切ったわけじゃない。

あんな☆1らしくないド派手な魔法なんて、俺にとってはイレギュラー中のイレギュラーだ。

本来☆1の俺《おれ》ができるのは、地味で……そして効果的な小細工を弄《ろう》することがせいぜい関の山だ。

たとえば……このこっそり作った、親友《リック》専用の魔法薬《ポーション》とかな！

「――リック！」

俺は腰のホルダーに挿《さ》していた魔法薬《ポーション》を、近くで膝をつくリックへと渾身《こんしん》の力を振り絞って放り投げる。

俺の投擲能力は暴投だと毎回笑われるが、今回は綺麗な放物線を描いて彼の手に収まった。

受け取ったリックはそれを確認することなく、一気に喉《のど》に流し込む。咳込みながらも飲み干し、ゆらりと立ち上がる。

「任せたぞ、相棒」

「任されたぜ、相棒ッ！」

【隼の如く】を発動したリックの姿がその場からかき消える。

リックの無茶な要望を全部詰め込んだ新種の秘薬《エリキシル》だ。

ビジリが高品質な素材とごく微小な『ダンジョンコア』の粒を揃えてくれたおかげで完成にこぎつけた、悪ふざけの境地ともいえる薬品。リックに合わせて調薬したため、あいつ以外には使えないが……その分、限定的に驚くべき力を発揮できる。ただし、体への負担も相当なものだ。

その効果は一目瞭然《いちもくりょうぜん》だった。

レンジュウロウの一閃《いっせん》に勝《まさ》るとも劣らないリックの一太刀が、一瞬のうちに『蛇伯《ザッハーク》』……ペイヴァルの首を空に刎《は》ね上《あ》げていた。

そして、そのまま流れるような動きで、切っ先を心臓へと向ける。

「なんだと……なんだと……ッ！　我が肉体《からだ》に……!?　バカな……！」

「わりぃな。——逝《い》ってくれや」

落ちてなお口を開く頭部を蹴飛ばし、リックが『竜殺しの魔剣《アスカロン》』を勢いよくペイヴァルの心臓へと突き入れる。

「ガアアァァァアァッ——！」

もがきながら、〈天光満ちる英雄神話《アフラ・マズダー》〉の光に呑まれていく『蛇伯《ペイヴァル》』。

咆哮を上げる頭部を閃光が消し去ったのを確認して、今度こそ終わったと実感する。

「あぐ……ごふッ」

リックが膝をつき、血を吐き出す。

格好をつけて劇薬を一気飲みなどするからだ。胃に穴があいているぞ、きっと。

「あー……きっつぃ。でも終わったぜ、相棒」

「ああ、ご注文の良いとこどりだ。ミレニアに……良い、報告ができるな……」

「バッカ、お前……神様になってた奴が何を言って……ってオイ！」

驚いた顔のリックが体を引きずるようにして、俺に近づいてくる。

「おいおい、待て、待てよ。おれら、勝ったんだぞ……？」

「ああ」

「あとは帰ってよ、飯食ってさ、バカやるんだろ……？」

「ああ」

「だからよ、アストル……ダメだ、待てよ」

「すまん」

とりあえず、謝っておく。

邪竜だか魔神だか知らないが、高位存在相手に☆1としては善戦した方だと思うんだけどな。

指先が、光の粒になってじわじわと溶けだしていくのがわかる。

理力《オド》を失いすぎたし、傷も深い。

——ここまでだな。

「おい、アストル！」

「アストル、意識をはっきりもたぬか！」

「勝手に諦めてんじゃねぇぞ！」

「アストル様、アストル様ッ！」

リック、レンジュウロウ、エインズ、チヨ……みんなの声が聞こえる。

視界の端には意識を失っているものの、生きているユユとミントの姿がある。

「ああ、良かった。みんな、無事だ……」

自分の意識が周囲に溶け出し、広がり、そして視界に映るみんなの姿がゆっくりとにじむ様を、俺は最期まで見ていた。

◆

「――……」

誰かの声が聞こえる。

でも、まるで水の中にいるかのように、上手く聞き取れない。

「――……」

囁くような、歌。

葬送《そうそう》の歌だろうか、寂しさが込み上げてくる。

誰に向けて？

「……――……――」

ああ、これはわかる。

これは祈りだ。

人が何かの実現を、人以外に託《たく》す時に使うモノだ。

「……」

「……――……ッ」

「……――……――！」

呼んでいるのか？
誰を？
俺を？
「――――……ル」
声が聞こえる。
この声をもっと近くで聞きたい。
懐かしいような、愛おしいような……不思議な気持ちだ。
どこだ？　どこから聞こえる？
「――――……トル」
……こっちか。
手が届きそうなのに、近づけそうにない。
でもこの声に、もっと近づきたい。
声の方へ、行こう。少しでもこの声が近くで聞けるように……
もっと、もっと俺を呼んでくれ。
ああ。
――ああ。
愛してる……！

「……――――!」


ぼやける視界と虚脱感、押し寄せる頭痛と、強烈な体の痛み。

「目を覚ましたぞ!」

リックの声が聞こえるが、視界はぼやけたままだ。

暗いので夜なのだろうが、周囲がどうなっているのか……そして、俺がどうなっているのかもわからない。

潮の香りと波の音から、海が近いということが察せられる。

「……どうなったんだ?」

口の中は渇いてカラカラ、おまけになんだか血の味がする。

体は……まったく動かない。そもそも感覚があまりない。

「……お目覚めかしら?」

すぐそばでミントの声がした。

「ミント、無事か?」

「無事か? ……じゃないわよ! 心配したんだから!」

顔にぱたぱた温かいものが触れる。

「泣くなよ」

「泣くわよ……! あんた、一回死んじゃったのよ?」

ああ、やっぱり。そうだと思った。

他人事《ひとごと》のように捉えているが、確かに死んだ実感が残っている。

あの冷たく沈んでいく感触はなかなか怖いものだった。

「アストル……良かった。でも約束……破った、ね？」

続いて、ユユの声。

「少し調子に乗った。今では反省している」

「しょうがない、ね。今回だけ、だよ？」

ふわりと柔らかなものに包まれる。

そうされて初めて、ようやく俺は戻ってきた実感と……最後の最後でしくじったことを思い出した。

しばしして、複数の足音が聞こえてくる。

「む、無事戻ってきたようで重畳《ちょうじょう》。説教は後の楽しみに取っておくとしようぞ」

「やっとお目覚めかよ。まったく、驚かせるんじゃねぇよ」

レンジュウロウとエインズの声から安堵《あんど》が感じられた。

「それで、相棒？　あの世ってのはどんなところだった？」

リックにそう言われて、うすぼんやりとした記憶を掘り起こす。

誰かに会ったような気がする。

ダメだ……思い出そうとしても、靄がかかるばっかりではっきりしない。

「思い出せないけど、嫌な気分ではないかな？　結構楽しかった気もする」

「呑気《のんき》な奴だぜ……こっちは大変だったんだからな？」

エインズの困り顔が目に浮かぶようだが、視界は戻らない。

「それで、どうやって俺を〝再構築した〟んだ？」

俺は単純に死んだわけじゃない。確かに怪我もひどかったが、直接の死因となったのは理力《オド》の急速消失による存在の拡散だ。

早い話が風船に穴が開いたようなもので、存在が環境魔力《マナ》に溶け出していく現象。

『アズィ・ダカー』が好き勝手に周囲の環境魔力《マナ》を吸い上げた影響で、環境魔力《マナ》が空洞化していた。

そのため、漏出する理力《オド》も大きく……何より、いろいろやらかしたせいで俺の理力《オド》はもうほとんど体に残ってなかった。

「それに関しては、ペイヴァルに感謝するべきかもな」

茶化すようなリックの言葉に、レンジュウロウが続ける。

「『ダンジョンコア』が出現したのだ」

「出現？　した？　……そうか。原理はわかるが、現象的にありえるのか？」

「あったのだから疑いようもない」

この島の環境魔力《マナ》という環境魔力《マナ》を吸い尽くし、多数の『ダカー派』の命までも喰らった『アズィ・ダカー』。

歴史的にも『魔神』がダンジョンを形成する例はある。

つまり、その肉体を完全に滅ぼしたことで高密度に凝縮されていた魔力《マナ》が『ダンジョンコア』としてこの場に残る可能性はないでもない。

そして、その『ダンジョンコア』は迷宮の核となってこの島に新たな『ダンジョン』を形成するはずだったが……それをいわば生け捕りにした形か。

……出来立ての『ダンジョンコア』を手掴みで取得する機会など、そうはない。

幸運に偶然が重なった稀有《けう》な事例だ。俺も見てみたかった。

「『成就』を使っても、まだ足りなかったのだ……。それで、ミントとユユに『伝承魔法』を使ってもらってな、無理やりに存在を繋ぎ止めておる。自分がいまだ移ろう存在だと自覚せよ」

道理で感覚がないわけだ。まだ半分死んでるってことだしな。

「ん？　……伝承魔法？　ユユ達は大丈夫なのか？」

意外にも、俺の疑問に答えたのはミントだった。

「ちょっと特殊な誓約魔法だから、負担は少ないわ。でも、アタシ達と繋《リンク》がりがあると思って、あまり離れないようにね」

「ミントの口から誓約魔法なんて専門用語が出てくるあたり、俺は別の世界に蘇ったんじゃないか？」

「失礼ね！　アタシだって〝伝承〟されてるんだから！」

「お姉ちゃんに、魔法の訓練、しておいたのが良かったみたい。そうでなきゃ、ダメだった」

二人とも元気そうだ。

「……なぁ、アストル。もしかして、見えてないのか？」

リックの質問に、小さく頷いて応える。

「ああ、ほとんど視界がない。身体感覚もな。聴覚と嗅覚、あと触覚はある。今俺の手を握ってるのはユユか？」

「はずれ、アタシよ。ユユはあんたの頭の下」

なるほど。この柔らかな感触はユユか。

「ああ、それで……誓約魔法なんだから『誓約』と『制約』と『成約』があるはずだ。内容を教えてくれ」

——『誓約魔法』。

それは古代魔法に分類され、その中でも特に強力な効果を発生させる儀式魔法である。

魔法という体系が形作られる以前の原典的《アーキタイプ》な魔法でもあり、『誓約』と『制約』を宣言することで、世界に超自然的な何かを『成約』させる魔法。

言うなれば『ダンジョンコア』を使用した時に発生する『成就』に近い。

「それがね……言いにくいんだけど……」

ミントが言い淀む。何かロクでもない凶悪な『誓約』でもしたんだろうか。

「事象を、変化させるのに『現実の否定』を、したの」

ユユの説明がよくわからず問い返す。

「否定？　時間の逆行でもしたってことか？」

「えーと、ね。起こってしまった、出来事を、なかったことにするために……ユユ達は限定的に、世界を壊した。アストルが〝死んだ〟って、事実を否定した」

そんな簡単な話ではないだろう。

起こってしまったことをなかったことにするには、たとえば禁忌《きんき》とされる〈時間遡行《タイムシフト》〉のような、極めて強力な魔法で、過去から時間と出来事の流れを変えるような細工が必要だ。

……でないと世界の成り立ちに齟齬《そご》が出てしまい、歪みを生んでしまう。

「置き換えた、の。ユユ達の【神話伝承】によって、英雄王たる人物が死ぬのはおかしい、って現実を、騙《だま》した」

「そのためにアストルを『アズィ・ダカー』を討伐した『竜伐の英雄王《フェリドゥーン》』に設定する必要があったワケ」

なるほど。理屈はわかる。

一時俺と同化した、『竜伐の英雄王《フェリドゥーン》』なる英雄の記憶は、うっすらと記憶の端に残っている。

『蛇伯《ザッハーク》』との死闘を見事勝ち抜いて生き残った彼は、囚われていた姉妹の姫君を救い出して妃《きさき》に迎え、長く国を善政で治めたらしい。

「……待てよ？　まさか……」

「察しが良くて助かるわ。今現在もその伝説を絶賛リバイバル公演中よ」

――暗黒竜《アズィ・ダカー》との戦いで『竜伐の英雄王《フェリドゥーン》』が死ぬなんておかしい。そういう申し立てを、現実に無理やりねじ込んで、その配役に俺をあてることによって、死んだはずの俺を再構築したのか。

そして、ユユとミントは触媒《しょくばい》となっているのだ。姉妹の姫君として、『竜伐の英雄王《フェリドゥーン》』に扮《ふん》した俺の妃となる。そして、魔法効果を維持する要素となり続ける。

「ん。理力《オド》が安定して、存在がしっかりするまでは、ユユ達のそばをあまり離れちゃダメ、だよ？」

魔法によってなされた事象、成約されたのは〝俺の復活〟。

その代償となる誓約と制約は〝俺と婚姻関係《こんいんかんけい》を結ぶこと〟〝離れることができない〟ってところだろうか。

「……あれ、待てよ？　『誓約』が成立してない気がする」

その『誓約』を成立させるには、俺の意思が必要だ。

ユユとは婚約状態であるのでなんら問題ないが、ミントの場合は違う。

「それがしちゃったのよ」

「しちゃったのか……」

気まずい。魔法的な『誓約』の条件として有効であると判定されてしまった以上、俺はミントに対して〝そう感じていた〟のだろう。ユユを愛していながら、どこかでミントも求めていたという……なんとも不義理な感情を持っていたというわけだ。

「アストル……深く考えちゃダメ、存在が、揺らいでる、よ」

膝枕をしてくれているユユが俺の頭を撫でる。

そうは言っても……考えはじめると深みにはまっていくのが俺だ。

しかも、上手く思考がまとまらない。

「何よ！　命懸けてまでアタシがイヤなワケ？」

「そうじゃない、そうじゃないんだ……」

自分に納得がいかないだけで。

ユユに対する気持ちは嘘偽りのない、本当の気持ちだ。だからこそ、繋《リンク》がりから流れ込むミントの好意に対して、憎からず思っていた自分に、余計に納得がいかない。

「いいんだよ、アストル。ユユは、知ってた」

「え？」

「お姉ちゃんの本気も、アストルの想いも」

顔がはっきり見えるわけじゃないが、ユユが微笑んでいる気がする。

「ユユ……」

「だいじょぶ。アストルが、ユユを大好きだっていうのも、知ってる、よ？」

小さな笑い声が聞こえる。

「だから、一緒でいい。一緒がいい。お姉ちゃんが苦しいのも、アストルが苦しいのも、嫌だし。ユユ達は『カダールの娘達』だから」

「ユユ！　あんた、それを持ち出すのは禁止って言ったわよ！」

「お姉ちゃんでも、そうした、でしょ？」

「む」

珍しく言い負かされるミントだが、俺も事情が分からない。

「その意味は？」

「……ヒミツ。お姉ちゃんから、聞いて？」

「ア、アタシに振らないでよ、ユユ！」

これは宿題だな。ウェルスに帰ったら禁書庫に行って、自力で調べよう。

「とにかくよ、おかえり……相棒」

「ああ、最後はなかなかの見せ場だったな、リック」

「おかげでおれも腹が痛ぇ……。早く元気になって良く効く胃薬を作ってくれ」

リックらしい人影に頷いて応える。

視界が悪いというのは問題だな、ちゃんと治るんだろうか。

「アストルよ、視界はどうだ？」

灰色の大きなものがぼんやりと見える。これはレンジュウロウか。

「ええと、ぼんやりとは。レンジュウロウさんは一目でわかりますけど」

「たぶん、存在が安定してきたら、見えるように、なる。今はこの世界に定着していない、から」

「難儀なことよな。魔法でなんとかできぬのか」

なるほど、〈魔法の目《マジックアイ》〉で魔法に情報処理を任せてしまえば可能かもしれない。

「ダメ。安定するまで魔法もスキルも禁止、だよ。じっとしてて」

「ぐ」

レンジュウロウの言葉に乗って試そうとした俺の額を、ユユがぺちんと叩いた。

「ま、とりあえずは解決なんだろ？　帰って祝杯といこうぜ」

「ああ、すまないな、エインズ。かなりやばいことに巻き込んでしまった」

「やらなきゃみんな死んでた。パメラもな。おめぇだけの戦いじゃねぇってコトだよ。気にすんな」

胸にトンと拳が当たる感触。

「チヨさんは？」

「わたくしもおりますよ、アストル様」

「良かった。最後に見た時、怪我をしていたから」

「魔法薬《ポーション》を一つ、鞄からいただきました」

「本当は俺がそこを支えないといけなかったんですけどね。……すみません」

本来、戦線を維持する魔法使いが飛び出していって、大ボスと殴り合いなんて、破綻《はたん》した作戦もいいところだ。反省しないといけないな。

「ごめん、少し……眠る」

波の音と一緒に、徐々に意識が引いていく。

「うん……おやすみ、アストル」

ユユの声が耳に甘く響いて、俺はゆっくりと寄せて返す波に意識を預けた。

◆

結局、俺が本格的に目を覚ましたのは、復活したあの時からさらに一週間経ってからだった。

ドアルテの船に回収された俺達は、無事ポートアルムへと帰還したものの、俺の意識はなかなか戻らず、ビジリの計らいで『二羽のカモメ亭』にしばらく逗留《とうりゅう》することになった。

その後、傷の手当などを含めて全員の体調が落ち着くのを待ってから、俺達はビジリの馬車に乗ってゆっくりと学園都市《ウェルス》への帰還の途《と》についたのである。


——それから一ヵ月。

相変わらず俺の動きは緩慢《かんまん》で、視野もぼやけたままだ。危なすぎて塔の中をうろつくのもままならない。

「アストル？　だいじょぶ？」

手を引いてくれる少女《ひと》がいるので、それほど困ってはいないけれども。

「ああ、ごめん。少し考え事……。しかし俺の目はいつ見えるようになるんだろうな？」

「再構成したけど、死ぬ直前に戻っただけだから……理力《オド》が安定すれば？　かな？」

うすぼんやりと見えるソファらしきモノを触って確認してから腰を下ろす。

一回空ぶって床に尻餅をつく羽目になったので、安全確認を徹底するようにしているのだ。

淹《い》れてもらったお茶を飲みながらしばし待つと、扉が開く音がした。

「お、アストル君。元気かな？」

「マーブル、来てもらってすまない。それにしても、目が見えないと胡散臭く感じないんだな」

向かいのソファにマーブルらしき人影が座った。

「それは新しい発見をどうも。それで、僕に相談とは？」

「相談というか、俺の処遇がどうなったか確認しておこうと思って」

「ああ、その件だけどね……ちょっと難しい局面だね」

だろうな。何せ、汚職していたとはいえ、中央議会から派遣された人間をマルボーナ達もろとも捻じ切ってしまった。俺のやったことはバレてはいないけど、俺の精査に来た人間が消されたとなれば、マイナス要素として働くのは仕方がない。

「学園長は乗り気だから、そう心配することはないいんじゃないかな？」

「学園長が？」

「それは君、『魔神』を仕留めた賢人だよ？　国としては英雄扱いしたいところなんだろうけど、君は事実を隠したいんだよね？」

俺が飛ばした手紙を受け取った者達は、おおよその事態を掴んでいた。特に古代森人《ハイエルフ》の学園長やマーブルといった古い種族の上位賢人達は、あの島に何があるのかをすでに把握《はあく》していたのだ。

実際、俺が仕留めそこなった場合を考えて戦略級魔法の準備も進められていたらしい。

「ああ、ユユとミントに関する情報は一切漏らさないでほしい。モルモット扱いは俺一人で充分だ。☆1なんで、少々の物扱いは受け入れるさ」

「根深いねぇ、君の『不利命運《ディスアドバンテージ》』も。少しくらいは自信を持てそうなものだけどね？　世界を救ったんだよ？」

「どれもこれも後手後手に回って、ユユ達を危険に晒した。自信なんて持てるもんか。それに、トドメを刺したのはリックだしな」

「そうだね。おかげで彼は大変そうだ」

大変にした奴の一人がいけしゃあしゃあと。

まぁ、首謀者《しゅぼうしゃ》は俺なんだが。

冒険者証に余計な情報を彫り込まれる前に、今回はリックに犠牲者になってもらうことにした。

エインズ達、悪い大人達に頼んで、今回の騒動をリックが片付けたことにしたのだ。

今やリックは『西の国《ウェストランド》』で最も有名な〝竜伐者《ドラゴンスレイヤー》〟だ。そして、噂を聞きつけたエルメリア王国はすぐにリックに男爵位《だんしゃくい》と領地を下賜《かし》することに決めたらしい。

良かったな、リック。カーマイン家の六男坊から、いきなり領地持ちの貴族様だ。

まぁ……ユユに頼んで、〈手紙鳥《メールバード》〉をラクウェイン侯爵に飛ばしたのは俺なんだが。

「ハメやがったな、相棒！　おれは絶対戻ってくるからな！　覚えてろよ！」

そんな三下《さんした》じみた捨て台詞を残して、貴族御用達の馬車に押し込められるリックの雄姿をこの目ではっきり見られなかったのは少し残念だ。

……押し込めていたのは、多分ミレニアだろう。

システィルの課題に同行して冒険に出ていたミレニアだが、リックの雇い主、上司として一緒にエルメリア王国へと一旦戻ることとなった。もちろん、護衛のオリーブも一緒にだ。

ナーシェリアは〝あらあら……ご愁傷様《しゅうしょうさま》、ではなく、おめでとうございます。わたくしは正式な留学でございますし、ご一緒できないのが残念ですわ〟なんて言いながら、笑っていた。

王城を離れて学園都市《ウェルス》で生活を続けるうちに地《じ》が出てきたのか、ずいぶんと良い性格になったようだ。

「ま、今回の件はあれで良かったんだと思うよ。君の周りをあまり騒がしくしすぎるのも問題だしね。でも、あの功績があれば確実に国民としての権利を獲得できただろうけど」

マーブルが俺を見て苦笑する。

「俺はただ、ユユ達の力を借りて儀式の一部を担っただけだ。実際あの場で踏み留まって戦ったみんなの功績だよ。俺ができることなんて、そんなもんさ」

「ま、議会が開かれるまで、まだしばらくある。学園長が中央議会の独断にかなりお冠《かんむり》でね……自分で乗り込むとおっしゃってる。君の心配は杞憂《きゆう》に終わるだろう」

「なら、いいんだが……」

茶を一口すすって、隣に座るユユに少し体を寄せる。

それを感じた彼女がことん、と俺の肩に頭を乗せた。

「うらやましいね。でも、そういう空気を〝年齢イコール彼氏いない歴〟の僕の前で見せるのは、どうかと思うよ?」

古代森人《ハイエルフ》がそれを言うと、スケールが違うな。

「そりゃ失敬。ユユが隣にいる幸せを噛《か》み締《し》めているのさ」

「アタシは放っておいていいのかしら？」

不意に背後から声がした。

「ミント、いたのか」

長らく気配の察知を繋がり《リンク》に頼っていたせいか、最近ミントがどこにいるか読めない。

「いましたよーだ。もう、アタシにもちょっとくらい構ってくれたっていいでしょ？」

「そうは言ってもなぁ……」

「ま、いいけどね。アストルが生きているってことは、アタシを少しは認めてくれてたってことだし」

頭に柔らかな重み。

「俺は少し複雑な気持ちだよ」

「また始まった。もう観念しなさい。別にユユとの間に入ったりしないわよ」

頭の上で小さく笑う声が聞こえる。

確かに、これが俺とミントのちょうど良い距離感なんだろう。

「しかし、ミントちゃんに魔法の才能があったなんてね」

マーブルが感心した様子で呟いた。

「なんでも勉強しておくものね。アストルに基礎を習ってなかったら〝伝承〟を思い出しても、きっと何もできなかった」

俺の頭をミントの両腕が包む。

「もうダメだって思ったわ。……あんなのはもう嫌よ」

『粘菌封鎖街道』でミントがやったことと同じだろう、反省しろ」

「アストルも、だよ」

ユユにピシャリと指摘されて、ミントと二人うなだれる。

「ふふっ、うん……意外とお似合いかもね？　三人一緒にいても、とても自然だ」

「マーブルまでもそんなことを」

「せっかくだから僕も交ざりたいな」

すかさずユユとミントが拒絶する。

「マーブルは、ダメ」

「そうよ、アストルはアタシ達のものなんだから」

相変わらずのミントの勝手な言い分だが、今だけは良しとしよう。

「そういえば、レンちゃんは？」

すぐに気を取り直したマーブルが尋ねた。

「出かけているよ。チヨさんと一緒に」

「おや、おチヨも君達にあてられて行動開始かい？　ずいぶんと長かったね」

「知っていたのか？　チヨさんの気持ち……」

「僕はレンちゃんの元後見人で、おチヨの母代わりだよ？　二人のことなんて、手に取るようにわかるさ」

それでチヨはマーブルを苦手そうにしていたんだな。

「システィル達は講義に行っているし、エインズ夫妻もお出かけ中だ。今は俺達だけだよ。……だから、今のうちにマーブルと話そうと思ってさ」

「いいさ、ここで出るお茶とお菓子はいつだって美味《おい》しいからね」

少しの沈黙。食器に触れる小さな音しかしない。

「……さて、僕はそろそろお暇《いとま》しよう」

「ああ、わざわざすまなかった」

立ち上がって、マーブルらしい人影に小さく頭を下げる。

「あ、そうだった。アストル君……君に伝えようと思っていたんだ。忘れていたよ」

「ん？」

「良い話が、あるんだけど……どうかな？」

そんな言葉を聞いて、俺の心がピクリと反応する。

ユユが小さく裾を引っ張っているし、ミントが頭をてしてしと叩くが、どうにも俺は〝賢人で冒険者〟という立場が板についてきたらしい。

「――詳しく話を聞こうか」

白師

初夏のうららかな陽気の中、俺達を乗せた馬車が街道を北に向かってゆっくりと走る。

現在、俺達は『西の国《ウェストランド》』北部にある都市へ向かって、草原地帯を北上中だ。

「ついてきてもらってすみません、レンジュウロウさん」

「なに……今回の依頼はワシらが適任じゃろう。場所が場所じゃしのう」

馬車の手綱を取るレンジュウロウが笑っている気がする。

相も変わらず視界が安定しない上に魔法を禁じられている俺は、今回の旅では完全にお荷物だ。

「しかし、マーブルめ。まさか〝白師《ハクシ》〟にまで手を回しておるとは予想外じゃったな……。いや、そこまでの状況だったと考えるべきか」

「その、〝白師〟というのが……？」

「うむ、このレムシリアにおいて所在が確認されておる色鱗竜《カラードドラゴン》の一角よ」

——遡《さかのぼ》ること十日前。

自分の塔で療養中だった俺は、マーブルにある依頼を持ち掛けられた。

——今回の騒動で手を借りようとした大御所がいるんだけど、相手が相手だから無事解決した旨と、その経緯を当事者の誰かに説明しに行ってほしいんだよね。できれば君がいいんだけど、どうかな？

という、いかにも胡散臭い話だった。

暇を持て余していた俺は、その話を詳しく聞いて……結局、受けてしまった。

姉妹は反対の様子だったが、〝アストル君の目……治るかもしれないよ？　あそこはヤーパン医学の本場だしね〟という言葉に押し切られた形だ。

そう、今向かっているのは『西の国《ウェストランド》』北西部にあるヤーパン移民特別自治区『イコマ』である。

「しかし、遠く離れたこんな場所になんでヤーパン自治区が？」

「うむ……その昔、大きな戦《いくさ》があった。相手は『魔神』であったとも『邪神』あったとも伝わっておるが、この『西の国《ウェストランド》』が戦場となったのは確かじゃ。今から会いに行く〝白師〟は、その戦の先頭に立つ存在じゃった。そして、忠義と仁義をもって〝白師〟に続かんと自軍を率いて戦に駆けつけたヤーパンの将軍がおったのよ。『イコマ』にいるのはその軍勢の末裔だと言われておる」

「わたくしも、『イコマ』で訓練を受けたのですよ」

どこからかチヨさんの声がする。

「いわば、小ヤーパンといった風情よ。きっとお主にとって興味深いものがいろいろと見つかるじゃろう」

「今から楽しみです。ヤーパン医学に、ヤーパン料理……興味が尽きませんね」

「こら、アストルはまず治療でしょ？」

「ん。まずは、アストル、元気にならないと」

ミントとユユに釘を刺されてしまった。

「そうさな、魔法治療でも医学でも改善しないならば、ヤーパンの医療を試すのも良いじゃろうて」

「まずは〝白師〟様に会ってからですけどね。本物の色鱗竜《カラードドラゴン》に会えるなんて……緊張するな」

色鱗竜《カラードドラゴン》は、いわば地上にある神のようなものだ。

同じ竜族でも『暗黒竜《アズィ・ダカー》』のような別次元の神聖存在とは違う。

この世界に生きる生物の生殺与奪《せいさつよだつ》を一方的に担うことのできる、究極の存在だ。

そう考えれば、なるほど……『暗黒竜《アズィ・ダカー》』を止めるのにこれ以上の手段はあるまい。

「〝白師〟様はお優しい方です。きっとアストル様の力になってくれるでしょう」

「うむ。チヨの言う通り、あのように民に寄り添う竜神はそうはおるまいて」

どうやら、俺が想像していた色鱗竜《カラードドラゴン》とは少し違うらしい。

もっと超越的な存在として君臨しているものだとばかり思っていた。

「なに、会えばわかる。まだ二、三日かかる故、楽しみに待つがよい」

そう言われると、逆に期待が高まってしまう。『西の国《ウェストランド》』の北部には一度足を伸ばそうと思っていたので、ちょうどいいとは思うが、いかんせん景色を楽しめないのは残念だ。

「ね、アストル。何か、お話しして？」

ユユが袖《そで》を引っ張って話をせがむ。

「そうだなぁ……魔法理論は一通り話したし、何がいいだろうか」

「じゃあ、戦闘法の続きが聞きたいわ」

ミントのリクエストに応えて、記憶から戦闘法理論を引っ張り出してくる。

「じゃあミントの大剣からだな。まず、大剣のメリットとデメリットから……ん？」

ふと、周囲の環境魔力《マナ》が急に濃くなったような気がした。

「アストルも気づいたか。妙な気配がするのう」

レンジュウロウの声からも警戒がにじんでいる。しかし、危険な感じはしない。

「レンジュウロウさん、大丈夫だと思う。これは悪意ある気配じゃない」

「む、そうか？　アストルがそう言うのであれば、そうなのであろうな」

すぐにパタパタと雨が幌《ほろ》を打つ音が聞こえはじめ、土の臭いが立ち込める。

周囲の明るさは変わらないから空は晴れているはずなのに、不思議だ。

「……あめ？」

「ユユ、俺から見て右斜めの方に何かないか？　そこに何かの気配がある」

「ん……何あれ、すごい」

少し弾んだユユの声。その隣からは、ミントの声も聞こえる。

「何かしら……葬送の列に似ているけど、ううん、違う。もっと明るくてステキな雰囲気よ。白い服を着た人がいて……鮮やかで綺麗……！」

「『狐の嫁入り』か……！　よもや『西の国《ウェストランド》』で見ることができるとは」

感心したような、感動したようなレンジュウロウの小さな声が耳に届く。

「『キツネノヨメイリ』？」

なんだろう、俺も見たい。目が見えないのがこうも残念とは！

「うむ。ヤーパンには神狐《しんこ》と呼ばれる聖獣がおる。その聖獣が執り行う婚姻儀式のことじゃ。……いわば、ヤーパンの古い結婚式じゃの。夫婦が家と土地の豊穣《ほうじょう》と繁栄を願って練り歩くものだが……まだ『イコマ』からはずいぶん離れておるぞ？」

しゃん……しゃん……と、何かの楽器を一定の間隔で鳴らす音が聞こえる。どこかで聞いた音色だ。

そうだ、レンジュウロウが持っている鈴というものに音色が似ているな。

その音が、徐々に近づいてくる。

「……こっちに、来る」

姉妹は少し緊張しているみたいだが、俺は全く気にならない。目があんまり見えなくなった代わりに、気配に敏感になり、敵意や殺意、それに魔力の波動に鋭くなった。

近づく気配は、どこか優しい雰囲気だ。俺達に一切の敵意を向けていない。

馬車の前まで来たその気配が、俺を見ているのがわかる。

「よぉこそ、おいでぇなさいました。お迎えに、参上仕《つかまつ》りました」

老人のような声で、誰かが話した。

「何者か」

チヨの誰何《すいか》の声が聞こえる。

「〝白師〟様の命にて、花婿殿と花嫁様方をお迎えに上がりましてございます。アストル様、ユユ様、ミント様。ご成婚、誠におめでとうございます」

朗々と読み上げるように、その誰かは俺達の名を告げた。

「えぇ……？」

「ほっほ。さて、建前と冗談はさておき、お迎えに上がったのは確かですとも。〝白師〟様の命により、『イコマ』までお連れいたします」

周囲の魔力が何かしらの意味合いを帯びていくのがわかる。

目が見えないので魔法式を読めないのが残念だが。

「何が起こってるんだ？」

「ユユにも、わかんない。でも霧が濃くなって……」

「ご安心くださいませ。すぐにわかりますとも」

霧の粒が風で流れて顔や腕を少し濡らすが、すぐにふわりと蒸発《じょうはつ》して全く不快ではない。むしろ、魔力を多分に含んでいるであろうそれは、心地よささえ感じる。

しばらくすると、周囲の魔力が落ち着きを取り戻し、霧も感じなくなった。

「おお……これは驚いたのう」

「ここは……」

レンジュウロウ父娘《おやこ》が驚いているが、目の見えない俺にはさっぱりだ。

「どうなったんだ？」

「えーっとね、驚くべきことだけど……『イコマ』に着いたみたい」

ミントが俺の質問に答えてくれたものの、全く実感がない。

「転移魔法？　馬車で二日もの距離を跳んだって言うのか？」

「これは我ら神狐の特別な力ですので……魔法とは少し違いますね」

老人の声はそう言うが、魔力《マナ》の高まりは感じたのだ。解析すればきっと俺にも使えると思うんだが、いかんせん、目が見えないのでは魔法式を読み解くこともできやしない。

「では、ワタクシはこれにて失礼いたします」

「〝白師〟様の御座《ござ》には同行せぬのか？」

「はい、ワタクシはお連れするのが仕事です故。ここからは勝手知ったるレンジュウロウ様にお任せいたします」

「承った。秘術の行使、いたみいる」

現れた時同様、あの奇妙で澄んだ金属音をさせながら気配が遠ざかる。

『イコマ』に入る前からこうも不思議な現象を体験させてくれるとは……期待が高まるな。

「アストル、嬉しそうな顔」

「ああ、知らないことを知るのはいつだって楽しい」

「アストルの場合は、それでいろいろやらかすから目が離せないんだけどね」

まさかミントにまで窘《たしな》められるとは。おかしいな……ちゃんと自重《じちょう》できているはずなんだが。

「……できて、ない」

思考が声に出ていたようだ。ユユに次いで他のみんなからも、総ツッコミを受けた。

「他の賢人達に比べたらおとなしい方だろう？　塔を爆発させたりしていないし」

「老舗《しにせ》の塔を半日でねじ切って打ち崩し、ミスラのような神聖存在で完膚なきまでに瓦礫《がれき》に変えておきながら、まだそのような意識とは……いささか、ウェルスに染まりすぎじゃぞ？」

「そうですかね……」

でも、そのくらいしないと怒りが収まらなかったし、あの手の輩《やから》に余計な手心や容赦をしていてはこちらが危ない。徹底的に叩き潰さなければ、安心できないじゃないか。

「それよりも、行きましょう？　なかなかオリエンタルな雰囲気で嫌いじゃないわ」

「俺も見てみたいな……」

「早く、治るといい、ね？」

残念すぎるが、これも自分が無茶をやらかしたせいだ。今も姉妹が俺の存在を維持してくれなければ、あっという間に拡散して死んでしまうであろうことは理解している。

「チヨ、先行して宿の手配を。ついでに忍頭《しのびがしら》と侍大将に目通りの許可をもらってきてくれぬか？」

「はっ」

レンジュウロウの声に従い、あっという間にチヨの気配が遠ざかっていく。

「レンジュウロウさん。今いる場所は、どこですか？」

「ここは『イコマ』の入り口で、『南大山門』と呼ばれる場所じゃ。『イコマ』は山中に広がる都市である故な……」

「なるほど。道理で濃い緑の匂いがするわけだ。ユユ、ミント、悪いけど道中をよろしく頼むよ」

「任せて」

「任せといてよ。なんならおぶっていきましょうか？」

さすがにそれはカッコ悪いだろ……

「では、参るとしよう。まずは『イコマ』の主《おも》だった者達に顔見せをする必要がある。何せ〝白師〟様は文字通り、生き神も同然故、目通りを願うにはそれなりに手順を踏まねばならぬ」

確かに。言うなれば、王様に会うようなものだ。そんな相手にアポイントなしで押し掛けるのは、礼を欠く。

「わかりました。これ、長い階段……かな……？」

「見えておるのか？」

「環境魔力《マナ》が濃いせいかな、いつもより視界が少しマシな気がします」

推論としては立てていたが、やはり俺の体は完全ではないようだ。

おそらく、半分程度は魔力《マナ》で存在を補填《ほてん》している――言うなれば半幽体《はんゆうたい》みたいなものなのだろう。

本来、理力《オド》で構成されるべき要素が、魔力《マナ》に置き換えられているために、こうも不調が続く。

逆に言えば、こんな風に環境魔力《マナ》の濃い場所では体の感覚がしっくりくるのだろう。

「これは当たりかもしれんのう」

「ん。アストル、がんばろ」

ユユに手を引かれて階段を上る。

普段より幾分かしっかりした足取りで、それを一歩一歩登っていく。先は見えないが、徐々に明るくなっていくのを感じる。そして、最後の一段を上りきると、視界が開けたのがわかった。

「変わらぬな、ここは」

小さくレンジュウロウが呟いた。

はっきりとは見えないが、たくさんの人の気配がする。

聞き慣れない言葉も少し。ヤーパン独特の言語だろうか。

「いったん休憩を取るとしよう。山門からの階段を上り切ったここは、『イコマ』の玄関口……カタノの里じゃ。『イコマ』は四つの里によって構成されておる。宿が多いのがネヤの里、職人が多いのがナワテの里、そして戦事を取り仕切るのがカドマの里じゃ」

「魔法研究をするのは？」

「カドマの里じゃな。カドマは最も戦功を挙げた者の名が由来になっておってな……ワシの揮う伏見流の使い手でもあったという」

それは俄然《がぜん》興味が湧いてきた。あの超人的な戦闘力がどのように培《つちか》われるのか、ぜひ知りたい。

……きっと門外不出なんだろうけど。

「よし、ではそこの茶屋で一休みといこう。チヨが段取りをしてくれるまで、ワシらはのんびりとさせてもらおうぞ。ここのな、茶団子が美味いのよ」

「……働き者のチヨさんは、良いお嫁さんになりそうですね」

「なんじゃ、アストル……チヨまで嫁に欲しいと申すのか？」

レンジュウロウの頓珍漢《とんちんかん》な返事に、思わず姉妹と三人で小さなため息をついた。

◆

戻って来たチヨに案内されて、俺達は宿に到着した。

靴を脱いで入るという、なかなか異国情緒溢れる習慣に驚きながらも通された部屋は、しっかりとしていながら柔らかな感触を足裏に返してくる謎の床材で覆われていた。

レンジュウロウ曰く、これは〝タタミ〟というもので、草を編《あ》んだ、床とカーペットが一体化したような敷物であるらしい。気に入ったので、塔の俺の部屋にもぜひ欲しい逸品だ。

なんと言っても、どこに座り込んでもいいというのが素晴らしい。

「ええと、なんだっけ。この宿の名前」

俺の独り言に、隣にいるユユがすかさず応える。

「ネヤの里のイセヤ旅館、だった、はず」

ああ、そうだった。イセヤ旅館だ。

名前までヤーパン風で、本当にヤーパンに来たかのように錯覚する。

「どうした、の？」

「システィル達に手紙を出しておこうと思って。代筆を頼めるかな」

「ん。任せて」

手紙を書くのも、〈手紙鳥《メールバード》〉を送るのも、ここのところはユユの仕事だ。

しばし筆を走らせる音がした後、魔法の詠唱が聞こえる。

ユユらしい、小さくも凛《りん》とした魔法詠唱が耳に心地いい。

「みんな元気にしてるかしら?」

ミントがしみじみと呟いた。

「大丈夫だろ。マーブルが後見についているし……何より、ナーシェはしっかりしてるからな」

ナーシェリア王女に留守番を任せたのには、少し理由がある。

現在、俺の塔は素性のはっきりしない少年を一人保護中だ。課題のために南沿岸部に向かったシスティル達が、そこで倒れているのを発見したのだ。

本人は〝遠い場所から魔法で飛ばされてきたらしい〟と主張し、『レオン』という名前以外ははっきり覚えていないというのだ。鋭くなった俺の感覚で接してみても、悪意は感じられなかったため、拾得者の情けから俺の塔でしばらく保護することとなった。

彼は非常に興味深い存在だ。

『レベル確認スクロール』で見た彼の能力は、確認するたびに変化するらしいのだ。

時に☆1であったり、☆5であったり、スキルの数も三つであったり四つであったり……その内容も時々で変化する。ただ一つ、【勇者:A】のスキルだけは固定で出現することがわかっている。

そんな不確かな話があってもいいのかわからないが、マーブル曰く〝ないことはない。でも、興味深いね〟だそうだ。

現状でもいくつか推測を立てられるものの、実際に観測するには俺の目が見えて、魔法を使えるようにならないと、いかんともしがたい。

……とはいえ、接してみると彼自身はなかなかの好人物で、俺はすっかり友人として受け入れている。思考能力からは高度な教育を受けていたと窺えるし、足音から察するに、かなりの訓練を積んだ人間であるのは確かだ。

怪しさを増す要素ばかりだが、信用に値するエピソードもある。

『アズィ・ダカー』復活の際、彼らがいた南沿岸部では小規模ながら魔物の『大暴走《スタンピード》』が発生し、ポートアルムを襲った。その際、レオンはシスティル達と共に町を守るために無償で戦ったというのだ。

自分の記憶もはっきりしないのに、誰かのために命を懸けて戦える人間が悪人とは思えない。

「何、考えてる？」

しばらく黙って思考を巡らせていた俺に、ユユが話しかけた。

「ああ、レオンのことをさ」

「大丈夫、だよ。レオンは、悪い人じゃ、ない」

「ああ、わかってる。色々不安だろうし、何かしてやれるといいんだけどな」

「相変わらずのお人好しねぇ……」

ミントが呆れた様子でこぼす。彼女はまだレオンを信用していないようだ。

「そういえば、今日はこの後どうするんだろう？」

問題なくこのイセヤ旅館へと到着したものの、挨拶回りなどをどうするのか聞きそびれてしまった。

「レンに聞いてこようか？」

「すまない、ミント。そうしてくれるか」

「任せてよ。お疲れの旦那様はその……ザブトン？　の座り心地でも確認しておいて」

座布団をあえて評価すれば、素晴らしいの一言だな。

敷きクッションとしてはやや分厚すぎると思ったが、いざ座ってみるとなかなか心地がいい。床の畳と相まって座っているのがあまり苦にならない。

……旅先で地面に座り込む時や、馬車の座席に敷くにはちょうどいいかもしれない。

「嬉しそう、だね？」

「ああ、目が見えればもっと面白いんだろうけど……充分に楽しんでいるよ」

少しすると、胡坐をかいた脚の上に軽い重みを感じた。

柔らかな感触と甘い香り。目の前には、うすぼんやりとストロベリーカラーが見える。

「えへへ」

「髪の毛、色が戻って良かったよ」

目の前のそれをふわふわと撫でる。

「目と髪の色は、戻った、よ。お姉ちゃんも。あとはアストルが元気になれば、全部元通り」

「ああ、そうだな」

座ったユユを後ろからそっと抱擁《ハグ》する。

しばしの沈黙。体温と、呼吸の音、そして鼓動《こどう》だけを共有する。

「……ちょ、ちょっと！　アタシがいない間にどうなってるのよ!?」

長くは続かないのが欠点だけど……

「えへへ、早い者勝ち、だよ？」

「む」

「それで？　レンジュウロウさんはなんて？」

「案ずるな、ワシもついてきておる。して、部屋割りはこれでよかったのか？」

のしのしと足音を立てて、灰色の何かが目の前に現れた。この視界だと巨大な毛玉にしか見えない。

「いいのよ、アタシ達はアストルの世話に慣れてるし。レンじゃガサツすぎてアストルが怪我をしそうだわ」

「ミント、お主にガサツと言われると、さすがのワシも少々傷つくのじゃが」

「その返しに、アタシが傷つくわよ！　……とにかく、そっちは父娘の時間を大事にしなさいよ」

実際は父娘から脱却させるための方策なのだが、それを言ってしまうわけにもいかない。

「そうじゃのう。ああ、今日の予定じゃったな？　今日は今のところ予定なしとなった。明日、会う約束を取り付けておいたので、今日はゆっくりと休むがよい」

「わかりました。ありがとうございます」

俺の返しに、しばしの間。

「ふむ……さては暇を持て余しておるな？　時間があるならヤーパン医学の治療院にでも行くか？」

願ったり叶ったりの提案に、俺と……そして姉妹は大きく首を縦に振った。

◆

異国情緒溢れる『イコマ』の中を、ユユに手を引かれながら歩く。

おそらく、ここに来る旅人は珍しいのだろう。そこかしこから遠慮がちな視線を感じるが、悪意あるものではない。純粋な好奇心と興味のような純朴《じゅんぼく》な雰囲気を感じる。そして、それはこちらも同じであり、俺もぼやけた視界で周囲をキョロキョロと見回しながら歩いていく。

はっきり見えるわけではないが、色鮮やかな赤い何かが目に留まって思わず目を細める。

「もう……アストル、キョロキョロしない、の」

「ごめんよ。あの赤い建物はなんだろうと気になってさ。とても大きくて……鮮やかな色だ」

「あれは建物ではない。『鳥居』という、そうさな……門のようなものじゃ」

「門？」

「あの先の山道を上った先が〝白師〟の住処《すみか》であるのでな……。人の住む場所と、神が住まう場所の境界を示しておるのだ」

レンジュウロウの説明に頷いて、『鳥居』の先を見上げる。

確かに、何かしら強大な存在の気配がうっすらとあるような気がした。早く〝白師〟様なる色鱗竜《カラードドラゴン》に会ってみたいものだ。〝白師〟というくらいだ、きっとホワイトドラゴンなのだろうと見当はつくが、一体どれほどの存在なのか。

……おっと、いけない。経緯の説明に来たはずなのに、目的がすり変わりそうだ。

「見えてきたぞ。あの建物がイクノ治療院じゃ」

足を止めたミントがぼんやり呟く。

「ねえ、レン。ずっと思ってたんだけど、ヤーパンの名前って、どれもとても不思議な響きね」

「ヤーパン語でイクノは〝生ける者〟という意味じゃ。そして、それを統括する家名でもある」

そういえば、ヤーパン言語は非常に難解な文字系統で構成されており、その全てが表意文字であると聞いた。音を組み合わせる俺達の言語と違い、意味を組み合わせる言語体系は特殊な魔法をも発達させたらしく、ウェルスでもヤーパン語を研究している賢人が複数いるほど奥深い分野だ。

「ふーん。それで……ヤーパン医療っていうのは？　魔法薬でも魔法でも上手く治らないのに。本当に大丈夫なのかしら？」

「それは実際やってみぬとわからぬ」

「治るかどうかはともかく、俺は興味があるな。薬草学と特別な魔法による統合的治癒法らしい。……上手くやれば俺の医療技術にも応用できるかもしれない」

冒険者予備学校を放校になってから実感したのは、〝無駄な経験や知識はない〟ということだ。生活でも仕事でも、それこそ冒険者稼業を始めてからも、努力して培った知識は俺を助けてくれた。
☆1などという身の上であっても、学んだことは☆にかかわらず俺を支える武器となっている。
「たのもう」

引き戸を開ける音に続き、ふわりと独特の匂いが鼻に抜ける。薬草由来のものだろうか。

「はいな。……あれ、レンジュウロウとおチヨじゃないか」

少し甲高い女性の声がする。声質から察するに、ずいぶんと高齢に思えるが、姿はぼんやりとしかとらえることができない。妙に小さい影で、そして全体的に茶色い。

「久方ぶりよな、イクノ殿。息災《そくさい》か？」

「見ての通りさ。なんだい、珍しいのを連れてるね？　その子、死人みたいな気配がするよ」

歯《は》に衣《きぬ》着せぬ物言いだが、不快な感じはしない。

「アストルといいます」

「ああ、あんたが。狐どもから聞いてるよ。なるほどねぇ……。あたしゃ、イクノってもんさ。この治療院の責任者さね」

挨拶代わりだろうか？　ぺちぺちと俺に触れる手は肉球みたいな感触がある。

レンジュウロウと同じ狼人族《コボルト》なのかもしれない。

「あの、アストルは、治りますか？」

俺の手を握るユユの手に少し力が籠もる。

「どうだろうねぇ……別に病ってわけじゃないんだ。治る治らないの問題じゃあない。でも、〝肉〟

が足りないんじゃ、生きるに不便だろう？　……やれることはやってみるさね」

「お願い、します」

「任せときな。さて、早速だけど問診からはじめるよ。ついてきな」

そう言い放った小さな人影が、独特の小さな足音を立てて遠ざかっていく。

「参るとしよう。イクノ殿はなりこそああだが、腕の良い施療者故、心配はいらん」

「聞こえてるよ、レンジュウロウ！　あんたにも灸《きゅう》を据えてやろうかね!?」

なんだかよくわからないが、なかなかの迫力である。宿と同じく、靴を脱いで一段上がると、しっかりした畳の踏み心地があった。

この治療院では、部屋だけでなく通路にも畳を敷いているようだ。

しばし、ユユに手を引かれてイクノさんの後を追って歩く。

「坊主はこっちにおいで。付き添いはその辺で座って待ってな。あとで茶でも出させるから」

「ユユ、ミント、行ってくるよ」

姉妹に見送られ、注意してイクノさんの声がする方に歩く。途中でイクノさんが引き返してきて俺の指を掴んだ。肉球と毛の相乗効果でモフモフしていて気持ちがいい。

「目も見えないのかい？　大分、浮世離れしちまったんだねぇ」

「ちょっと無理をしすぎまして」

「……だろうね。今のあんたはどっちかっていうと、精霊やら神霊に近いみたいだ。人間側に寄るには、ちょっとばかり根性とコツがいるよ」

根性とコツでどうにかなるのか……？　いや、もしかするとヤーパン流の言い回しかもしれない。

とにかく、検査をしたわけでもないのに、見立てがここまで正確なのだ……きっと目の前の施療者《イクノさん》は有能に違いない。

「じゃあ、そこに座んな」

足元に椅子を差し込まれ、そのまま腰を下ろす。座面には薄手の座布団が敷かれているのか、座り心地は良好だ。

「じゃあ、問診を始めるよ。いいかい？　嘘偽りなく答えるんだよ？」

「はい」

念を押されるが、その理由は理解できる。俺とて医療を齧った身……問診の重要性は身に染みているつもりだ。虚偽《きょぎ》の申告というものは、圧倒的デメリットを施療者、患者両方にもたらす。

「……どうしてこうなったか、包み隠さず全部吐きな。大丈夫、あたしは口が固い方だよ」

妙な圧力を感じながら、俺は経緯を話しはじめる。

どうせ、〝白師〟には全て話す必要があるのだ。予行演習だと思って、わかりやすく説明しよう。

「……大体は理解したよ。しかし、そんなことがあるんだねぇ」

「信じてくれるんですか？」

普通、俺が話したようなことは世迷言《よまいごと》と断じられて然るべきなのだが。

「状態に説明がつく経緯だからね。それに、あたしにゃ嘘は通用しない。嘘じゃない以上、真実なんだろうさ」

紙に何かを書き付けていたイクノさんが手を止めて、俺の手首にモフモフした指を当てる。

「心拍数も異状ないね。さてと、あんたは魔法使いで医者なんだろ？　現状を正確に把握できているはずだよ？」

「自分の体のことですからね。およそ理解しているつもりです」

「賢いね。それじゃあ、聞くが……考えられる治療法はなんだい？」

「魔力《マナ》に置き換えられている部分を理力《オド》に変換することですかね。……でも、レベル上昇が見られないんですよ」

〝魔神狩り〟などという、かなりの大仕事をしたのだ。本来なら俺の体には定着前の魔力がかなり貯まっているはず。しかし、それが理力《オド》に変換されず、いまだに俺の体はレベル１のままだ。

どこかこの世界のルールから逸脱《いつだつ》してしまっているのかもしれない。

「その原因はなんだと思うね？」

「皆目《かいもく》見当もつきませんね。俺がこんな状態だから、という仮説は立てましたが……」

「なんだい、わかってるんじゃないか」

あっけらかんとイクノさんは言い放った。俺にとってはかなり絶望的な事実を。

「やはりですか……」

「そんなに気を落とすもんじゃないよ。やり方はある」

「あるんですか？」

「要は、今の状態で安定しちまってるのがまずいのさ。均衡《きんこう》がとれすぎていて、変化できないんだ」

『ダンジョンコア』と伝承魔法で、俺という存在をルールから外れた状態で強固に固定した結果というわけか。

「では、伝承魔法を解除してもらうべきでしょうか？」

「そんなことしたら死んでしまうよ。でも、揺らぎは必要だね……」

考え込む様子のイクノさんをぼんやりと見つつ、何かないかと、俺も考えを巡らせる。

「まあ、まずは基本的な気功法から試してみるかね。後ろに寝台があるから上着脱いで横になりな」

言われるがまま椅子を立って、寝台に横たわる。

これも畳でできているみたいだが、少し柔らかい気がする。畳にも種類があるのかもしれない。

「気持ち悪いかもしれないけど、我慢しな」

胸に重みを感じる。小さな影なのに、そっと胸に添えられたイクノさんの両手は鉄の塊《かたまり》みたいに重い。

「深呼吸しな。呼吸を丁寧に……そして、吸うのも吐くのもできるだけ長くやるんだ」

言われた通りに、息を引き伸ばすように長くしていく。

「そうそう上手いじゃないか。その調子だよ」

褒《ほ》められたが、とてもじゃないが返事などできそうにない。

徐々にイクノさんの手が俺の体に沈み込んでいく錯覚を感じる。

呼吸が苦しい。息を吐き出すたび、重たい感触が体を通過していく気がする。血液が重くなったみたいな、なんとも言えないずしりとした感触が、体を押し進んでいる……そんな気持ち悪さだ。

「そろそろだね。そら、しゅっとしてやろう」

そんな声かけと共に、体が急激に軽くなる。

鈍重《どんじゅう》だった血流がいきなり軽快になったかのように、熱い何かが体を駆け巡る。

「さあ、いいよ。ゆっくり呼吸をもどしな」

「は……い」

体が軽い。ここに来るまで、まるで水の中で動き回るようにぎこちなかった体が、思い通りに動く。

「……すごい。これがヤーパン医療……！」

「そんな大したもんでもないよ。でも、こいつで復調するってことは朗報さね。しばらくウチに通いな」

「はい、しかしこれは……『キコウ』？」

「魔力《マナ》と理力《オド》の中間のエネルギー……そうさね、大陸の子達は『気《オーラ》』と呼んでいるもんだね。それを操って、あんたの体をこっちの世界に近づけたのさ」

――『気《オーラ》』！　文献では見たことがあるが、まさか実在するものだったなんて。

「魔力《マナ》と理力《オド》の乖離部分《かいりぶぶん》を中庸《ちゅうよう》な気《オーラ》で埋めたのか……？　こんな技術初めて聞いたぞ、大発見だ」

「別に隠しちゃいないが、あんた達大陸人は〝理解できない〟〝実証できない〟って言うからねぇ」

何故実証できない？　これほどの効果だ、きっと観測方法はあるはず。

いや、待てよ。魔力《マナ》を感知できなければ魔法でないとする頭でっかちな連中は確かに多い。魔力《マナ》と理力《オド》の関係性ですら、現在実証が行われている最中だ。

逆にそれを当たり前のこととして受け入れている、イクノさんがすごいんだ。

「ちょっと大きめに気功を流したから、今晩くらいに不調になるかもしれないけど、我慢してゆっくり休めば明日の朝にはスッキリするはずさ」

「ええ、今はとても体の調子が良いです。これ……自分でもできませんかね？」

「錬気法《れんきほう》はレンジュウロウにでも教わりな。今しがた経絡《けいらく》と丹田《たんでん》をこじ開けてやったから、訓練すれば自分でも使えるようになるはずさ」

良いことを聞いた。これがあれば、視界はともかく体を動かすのに難儀しなくなる。ユユ達の負担も少しは減るだろうし、この感覚……おそらく体を復調させるための鍵になるだろう。

「気《オーラ》か……」

魔力《マナ》が理力《オド》に変換される際に、中間エネルギーがあっても不思議ではない。

水などに三相があるように、世界を形作る根幹エネルギーたる魔力《マナ》と理力《オド》にそれ以外の形態があってもおかしくはないのだ。

……俺達がそれに気がつけないだけで。

「これは俄然やる気が湧いてきた」

「賢人《へんじん》みたいなこと言うんじゃないよ、ヘンな子だね」

ここで〝その賢人です〟なんて名乗るのは野暮《やぼ》なのでよしておこう。

「できるだけ毎日通いな。可能なら錬気も覚えておくんだね」

「はい。ありがとうございます。本当に」

「礼儀正しい子は好きだよ。さぁ、めんこい娘達が待ってるんだ、さっさと戻るよ」

寝台から軽々と起きた俺は、再びイクノさんに手を引かれて畳の敷かれた廊下を歩く。

「アストル！」

ユユが駆け寄ってくるのが気配でわかった。

「どうだった？」

「貴重な体験だった。上手くすれば良い結果を出せると思う」

俺の言葉への返事は、柔らかな抱擁で行われた。

◆

暗くなりはじめた『イコマ』の街を歩いてイセヤ旅館に戻った俺達は、明日の予定を確認するために部屋へと集まった。

レンジュウロウ達の部屋は二人部屋でやや狭いため、四人部屋のこの部屋に集まり、明日の予定を組んでくれたチヨの説明を受ける。

「明日は、まず侍大将のマイカタ様のお屋敷に向かいます。朝のうちなら時間を空けておくとお返事をいただきました。その後、忍頭のお屋敷へ。明日一日屋敷に詰めておられるそうなので、いつでもいいそうです。明日の予定は以上ですね」

「〝白師〟とのことはどうなっておる？」

「竜巫女様が明日、使いをよこすとおっしゃっています。何やらミント様とユユ様に興味を持っておられるみたいですよ」

竜巫女――名前からして、色鱗竜《カラードドラゴン》と人間のやり取りを仲介する役目の人なんだろう。……で、あれば『カダールの娘』なんて呼ばれる、似たような生《お》い立《た》ちの姉妹は気になるかもしれない。

「……うむ。では、明日は食事をしたら早々に侍大将の館に参るとしよう。ワシも会うのが久方ぶり故、いささか緊張するのう」

「お父様、明日は勝負を始めないでくださいましね？」

「むむ、わかっておる」

レンジュウロウとそのマイカタという上役は既知の間柄《あいだがら》であるらしい。

チヨの話から察するに、武道の上でのライバルといったところだろうか。

「今日はこの後、このお部屋でお食事があります、その後は自由ですが、お勧めは温泉ですね」

「温泉があるんですか？」

それは素晴らしい。思わずテンションが上がってしまった。

「はい。霊験《れいげん》あらたかな『水秋《すいしゅう》の湯《ゆ》』と呼ばれる名泉でございますよ」

大変喜ばしいが……一つ確認しておかねばならない。

「☆1の俺でも入れますか？」

『粘菌封鎖街道』攻略の直前、滞在していたユーミルの街では多くの湯屋に〝☆1の温泉施設利用禁止〟と大きく書かれた看板がほとんどの温泉に設置してあって難儀した。

「大丈夫ですよ！　この里にいる者は皆等しく〝白師〟様の庇護下《ひごか》にあります。☆や性別、年齢、種族……あらゆる些末《さまつ》なことで人を区別いたしません」

珍しくチヨの声に喜色が満ちている。だが、すぐに納得した。

彼女は半森人《ハーフエルフ》だ。どこへ行っても〝半端者〟だの〝混血〟だのと言われていろんな苦労をしたに違いない。

だが、『イコマ《ここ》』では違う。

〝白師〟という強力な存在が、逆に自分達の小さな違いなど関係ないのだと思わせるに違いない。

「本当に楽しみだ」

「では、私は少し走って湯札を取ってまいります。この宿随一の温泉を堪能していただかなくては！」

するりとチヨの気配が変わって、あっという間に遠ざかっていく。

「浮かれておるな。あのようなチヨを見るのは久方ぶりじゃ」

「ここ、チヨさんの、故郷？」

ユユもチヨの様子が気になったらしい。

「そうさのう……長らくここで、忍びの修業をしておった故、そう言っても差し支えなかろう」

「レンはどうなのよ？」

「ワシか？　ワシも少しばかり世話になっていた時期があったのでな……」

ミントの質問に答えるレンジュウロウの歯切れが悪い。これは何か隠しているな。

なんとなくだが、こういう勘は当たるものだ。

そうこうしているうちに、チヨが戻ってきた。

「受け取ってまいりました。今宵はお客が少ないということで貸し切りにできましたよ」

「それは嬉しい。レンジュウロウさん、後で行きましょう」

「うむ。湯浴《ゆあ》みは久方ぶりじゃ……」

レンジュウロウの入浴は、とても大変だ。毛皮が水を吸ってしまうし、全身くまなくモフモフなので、洗うのも大変。そして、乾かすのが最も困難なのだ。

以前は俺が魔法で風を送って乾かしていたが、最近はそうもいかないので、彼にとっても今日の入浴は嬉しいものとなるだろう。

少しして、紙でできた扉――襖《ふすま》というらしい――の向こうから控えめな声が聞こえた。

「お食事をお持ちしました。お揃いでしょうか？」

「うむ。よろしく頼む」

レンジュウロウが応えると、襖が開いて盆に載せられた料理の数々がテーブルに並べられていく。

「何これ、すっごく豪華《ごうか》ね！」

「魚に、肉、野菜……何種類、あるんだろう」

ミントとユユが興奮気味だ。

「そうなのか？　うん、いい匂いがする。これは楽しみだ」

視界は相変わらずぼんやりとしているが、鼻をくすぐる複雑な香りは、なんとも空腹を刺激する。

「レンジュウロウ様に逗留していただけるなんて、当館の誉《ほま》れでございます」

「女将殿、それは言い過ぎじゃろうて。ワシは一介の剣客《けんかく》にすぎぬよ」

「謙遜《けんそん》も結構ですが、お覚悟なさいませ。もう『イコマ』中に広がっておりますよ？」

女将が小さく笑いを漏らすと、レンジュウロウが小さく唸った。何か問題でもあるのだろうか？

「さて皆様、どうぞゆっくりと疲れを癒してくださいませ」

うすぼんやりとした視界でもわかる、女将の凛《りん》とした所作。もしかするとこの旅館……相当高級な宿なのではないだろうか。

「食事はこちらで勝手にさせてもらう故、給仕は不要じゃ。すまぬな……皆、一端《いったん》の冒険者ゆえ、人が居ると逆に落ち着かぬ」

「承知いたしました。食器は廊下へとお出しくださいませ。ご用があれば、鈴を」

「相わかった」

女将の気配が遠ざかる。まるで斥候《スカウト》のように無駄のない動きで部屋を後にするのだから驚く。

「では、食べようかのう。せっかくじゃし……ヤーパン式の食前の祈りも教えておこう」

「ヤーパン式？」

「うむ。〝いただきます〟と言いながら手の平を合わせるのじゃ」

「それにはどんな意味があるのでしょうか？」

「今から口にするものの命と、それをここに運び入れた者、こしらえた料理人、配膳《はいぜん》してくれた女将……そして何より、これらをこの世にもたらした世界の全てに対しての礼の言葉じゃ」

「短いのに様々な意味が込められているんですね」

「然り」

「では……〝いただきます〟」

俺の言葉を皮切りに姉妹とレンジュウロウ、それにチヨが続く。

俺はこの言葉をすっかり気に入ってしまった。短い言葉の中に、様々な思いを乗せるというのは魔法に似ている。

たった一つの魔法式《ことば》の中に、あらゆる感謝が詰まっているなんて、不思議で最高な言葉だ。

さて、食事を始めようとして、食具《カトラリー》に伸ばした手が止まる。

よく見えないが、これはスプーンではないようだ。

「アストル、食べない、の？」

「この棒のようなモノについて考えてる」

「えへへ……ユユも、です」

それは『箸《はし》』という物だと教えられたものの、使いこなすのは困難だった。

結局、俺達は旅荷物の中から手に馴染んだフォークとスプーンを取り出して、ようやく美味いヤーパン料理に舌鼓《したつづみ》を打つことができた。

◆

——豪華《ごうか》で美味《びみ》な食事を終えてしばし歓談した後。俺は独特の匂いがする板の間をおそるおそる進んでいた。うすぼんやりとしてはいるが、湯船の場所はおおよそ把握できる。

そう……今、俺は待望の温泉に来ているのだ。

水の音と風の吹く感触。ここは『露天風呂』という屋根のない浴室であるらしく、それこそが醍《だい》醐味《ごみ》なのだとチヨが熱弁していた。

「しかし、レンジュウロウさん……なんの用事なんだろう」

共に入浴するはずだったレンジュウロウは、脱衣場に入る直前に従業員に呼び止められて去ってしまった。

イクノさんの治療を受けてから体の調子も良く、視界はぼんやりとはしているものの、意外となんとかなりそうだったので、言われた通りに先に入らせてもらったが……

「やはり年長者や☆の高い方が先に入るといったマナーは守るべきだっただろうか？　まあ……貸切りだって言っていたし、レンジュウロウさんならそう目くじらを立てることもないか」

小さく呟いて、そろそろと指先を湯船に入れてみる。温度は人肌くらいだろうか、じんわりとした温かさ。普通の湯と違うのは、少し滑《なめ》らかな感触がある点だろうか。

近くに置いてあるたらいで湯を掬《すく》って、体を清める。ヤーパンの温泉を楽しむためのレクチャーは一通り受けたから、作法は間違っていないはずだ。

「よし、入ろう……」

足先からゆっくりと温泉に入っていく。

深さはそれほどではない。膝より少し深いくらいで、座り込むと、湯の高さはちょうどいい。

「はあー……これは良い」

目を閉じて、全身を包む温かさを思いっきり満喫《まんきつ》する。

血流が良くなったのか、何かが体を巡っている感覚がある。

イクノさんの治療を受けていた時と少し似た感覚だが、こちらはずっと柔らかな印象だ。

ふと空を見上げて目を開けると、満天の星が広がっていた。

標高がそれなりに高く空気が澄んでいるせいだろうか？

星との距離が近いような錯覚すら受ける。そして、空に浮かぶ月は二つ。そろそろ、夏の入り口に差し掛かっているということを示す赤と青の月が、柔らかな光を降らせている。

「アストル？　溺れてない？」

「ああ、大丈夫だ……って、ミント!?」

背後からしたのはミントの声だ。

「なんでミントが？　レンジュウロウさんはどうした？」

「レンなら今頃、チヨさんと父娘水入らずで別の温泉よ。ユユは後から来るから先に入ってって」

ああ、納得。納得だが……ミントがここに来る理由がわからない。

「あっちに入れないからこっちに来たのよ。それに、手伝いが必要でしょ？　目が見えないんだから」

言わんとすることはわかる。普段の塔の浴室と、初めての温泉では勝手が違う。

塔の浴室ですら、リックやダグに手伝ってもらわなければ一苦労という場面も多々あった。

だからと言って、ミントが入ってくる理由にはならないが。

「ユユの方が良かったって顔してない？」

「そういう問題じゃないだろ……」

俺はため息まじりに、振り向かずに答える。

「もう、せっかく手伝いに来たのに！　どうせ見えやしないんだから気にしないわよ。……アストルが恥ずかしいってんなら、それはご愁傷様だけど」

言うが早いか、俺の隣でちゃぽん、という音がする。

「あー……気持ち良いわね。ヤーパン風の温泉は最高だわ」

「ああ……」

視界の端にちらちらと映る肌色。

ん……？　やけにくっきりと見えている気がする。

「そういえば、あの浴衣《ローブ》、着心地いいわね。お土産に何着か買って帰ろうかしら」

「あ、ああ……」

そして、ここに来てようやく俺は体の異常——もとい、正常さに気がついた。

目が、見えてる……!?

星空を見上げている時に何故気がつかなったのか。湯気に煙る温泉も、眼前に広がる美しいイコマの夜景もはっきりと見えている。……当然、ミントも。

「ちょっと、アストル？　大丈夫？」

挙動不審な俺を心配したミントが正面に回り込んで、俺の頬に両手で触れる。

濡れた鎖骨《さこつ》から肩のラインが妙に艶《なまめ》かしくて、思わず顔を逸らす。

「のぼせた？」

ミントは俺の顔を力任せに正面に戻して、そのまま俺の顔を覗き込む。

長いまつ毛に細かい水滴がついてキラキラと光っている。

「ん？　どしたの？　なんかついてる……って、見えてるわけないのにね」

ミントは今にも泣き出しそうな顔をして、目を伏せた。

そこは、いつもの悪戯顔《いたずらがお》をするところじゃないのか？

「……ごめんね、アストル。アタシ達の……アタシのせいでこんな風になっちゃった」

俺の顔をペタペタと触りながら、ミントがしゃくりあげる。

「それは違うな、ミント。悪いのはマルボーナと、『ダカー派』……ひいては暗黒竜《アズィ・ダカー》のせいだし、二人を危険に晒した責任は俺にあるんだからさ」

二人の誘拐は、俺の警戒が足りなかったために起こったのだ。反省すべきは俺で、ミントがこんな顔をするようなことはない。

「でも……アストル、冒険者になって、一杯活躍して……賢人になって。これからもっとすごいことして、☆1だからなんて周りには言わせないはずだったのよ……。それなのに！　ダメにしちゃった！」

いよいよ泣き出したミントをそっと抱きしめる。

「大丈夫、きっとなんとかなるし……してみせるよ」

決意を込めて、そう告げる。

「ホントに？」

すでに糸口は掴んでいるのだ。あとはイクノさんが言う通り〝気合いと根性〟の問題だろう。

「約束するよ。だから……ほら、いつもみたいに笑ってくれよ。ミントが泣いてると、どうも調子が出ない」

「……うん」

素直なミントはなかなか珍しい。いつもこうであれば、可愛げも三割増しなんだけどな。

「よしよし」

やんわりと頭を撫でてから、そっと抱擁《ハグ》を解いて引き離す。

「何よ、もうちょっと抱擁《ハグ》しててくれてもいいでしょ」

「いくらなんでも裸で抱き合うのは良くないことだ、うん」

「い……いいじゃない！　仮でもなんでも……今は夫婦設定なんだから。ほら。もう一回抱擁《ハグ》しなさいよ」

やや頬を赤くしながら、上目遣いのミントが両手を広げた。

◆

「うーん……眠い……」

瞼《まぶた》を擦《こす》りながら、俺は再び温泉に来ていた。

朝焼けに照らされた『イコマ』の風景が眼前に広がっており、そこかしこから朝餉《あさげ》を用意する竈《かまど》の煙が立ち上っている。

「だいじょぶ？」

隣で浸かるユユが心配そうに俺を見た。

「ああ、大丈夫。しかし、朝から入浴するなんて贅沢《ぜいたく》な気分だな……」

温泉とはそういうものです——と、チヨに力説されたのもあるが、この温泉に入ってから体の調子が良い。ヤーパン医療には『湯治《とうじ》』と呼ばれるものもあるらしいので、もしかしたらその効果なのかもしれない。

「良かった。アストルが、元気になって」

「心配かけちゃってごめん」

湯船の中で、ユユの手を握る。

「昨日の今日だけど、すでに手応えを感じている。なんとかなりそうだ」

「ん。でも、無理しちゃ、ダメだよ？」

「肝に銘《めい》じておくよ」

やんわりと体を預けてくるユユの肩に手を回し、しばし沈黙する。

「どうした、の？」

「幸せを噛み締めてる」

「ん。ユユも」

二人で笑いあって、それを確認する。生きる理由も蘇った意味も、それだけで充分だ。

「そろそろ出ようか。食事が来る頃だろう」

「楽しみ。チヨさんによると、生の卵が出る、みたい」

「なんだって……？」

思わず言葉に詰まる。卵は生で食べてはいけない食品の筆頭だ。

それを生で食べること自体が度胸試しという名の運試しになるほどに危険な行為のはずだが……

「さすが侍の国……。生死観が一歩先をいっているな」

戦々恐々《せんせんきょうきょう》としながら部屋に戻ると、すっかり朝食の準備が整っていた。

ヤーパンの一般的な朝食と聞いていたが、実にオリエンタルみ溢れる光景に思わず喉を鳴らす。

サーモンらしき魚を焼いたもの、風味の独特なスープ、塩辛いピクルスに、野菜を煮たもの……

そして、やはりあった。生の卵が。

ゆで卵かとうっすらと期待したが、食事が始まるや否や、それを小鉢《こばち》に割りいれるレンジュウロウによって希望は打ち砕かれた。

「どうした、アストル？　ヤーパン式の朝餉は苦手かの？」

「いえ……生卵が……」

「ぬ、そうであったな。安心せよ、イコマでとれる鶏卵は生で食える」

レンジュウロウが語るには、ヤーパンでは食材を生食する文化が根強くあり、魚や肉も『刺身』と呼ばれる料理にして生で食べることがあるらしい。

「そのための特別な生育と料理技法があるのだ。慣れぬであろうから、無理強《むりじ》いはせぬが……美味いぞ？」

ニヤリと口角を上げるレンジュウロウ。そのグルメぶりは、これまでの旅の中ですっかり理解している。どの地方、どの町でも必ず美味い料理や名産品を知っている彼の知識と舌は本物だ。

そのレンジュウロウが、あのように自信ありげに言うのだから、間違いはない……はず。

「アタシはもち、チャレンジよ。食べ物に関してレンの言うことに間違いはないわ！」

「む。ユユも、負けない」

勝負事ではないと思うのだが、姉妹が食べるのに、俺だけ怖気《おじけ》づいてしまうわけにはいかない。

「それで、どうやって食べるんです？」

「このように醤油《しょうゆ》を加えて溶いてじゃな……飯の上にかけるのがヤーパン流よ」

独特の香りがする濃い色のソースを少し入れて、レンジュウロウに倣《なら》って生卵をかき混ぜる。

「で、かけると……」

盛られたヤーパン米の上におそるおそる……かける。

オレンジに近い黄身がトロリと溶け落ちて米に染み込んでいく。

「後はかき入れるのみよ。この際、行儀のことは抜きじゃ！」

そう言って、レンジュウロウは箸で豪快に米をかき込む。

いきなりあれは難易度が高いので、俺はスプーンを使って掬った米を口に運ぶ。

「……美味い」

シンプルで奥深い旨味だ。

生の卵の風味と、あの醤油という塩辛いソースがこうもマッチするとは予想外だった。

「アストルが食べてるし、大丈夫そうね」

「ん。ユユ達も、食べよう」

その対応はいささかひどくないだろうか。まぁ、姉妹に何かあるよりは良いので、黙っておこう。

「しかし、どれもこれも食べたことがないものばかりだわ。このミソ？　とかいうスープも素朴《そぼく》でステキね」

「ユユは、これ好き。作り方、教えてほしい」

ユユがフォークで口に入れているのは、ヤーパン風の卵焼きだ。まろやかな風味で、口当たりが優しい。

「用件が済めば出ていけ、とは言われまい。アストルの治療のこともあるし、しばし留まれば良いだろう。チヨも何やら企《たくら》んでおるようだしな」

「ゴホン……。そんな、お父様……何も企んでなどおりませんよ」

黙って食事をしていたチヨが、少しむせる。この様子だと、昨日の作戦は失敗に終わったらしい。

「よいよい。チヨの成長を見るのもワシの楽しみの一つよ。どう出し抜いてくれるのか、楽しみにしておるのでな」

そう言われて、チヨが少し赤くなって俯《うつむ》く。

出し抜くも何も、レンジュウロウは何故こうにも勘を鈍らせているのか。

もしかすると、気付いて避けているのではと疑いたくなるほどだ。

「そういえば、今日お会いするマイカタさんと知り合いなんですか？」

「うむ、長い付き合いよ。しかし……マイカタとはな。くくく、あの石頭め」

ニヤニヤと笑うレンジュウロウをチヨが窘める。

「お父様、ダメですよ。そのように笑っては」

「何かあるんですか？」

「本当はヒラカタというのよ。ヒラカタ・ゴンジュウロウがあやつの正しい名前じゃ」

「名前がレンジュウロウさんに少し似てますね」

「然り。そのせいか、よくつっかかってきよってな……。故あって、二十年ほど前に試合することになったのよ」

「結果はどうだったんですか？」

「ワシが勝った。そして、その結果を自ら罰するために家名を変じたのじゃ。ワシに勝つまで大将ヒラカタ家の名を継がぬという頑固《がんこ》を貫いておるらしい」

レンジュウロウは愉快そうに笑う。

その様子からすると、好意的に見ているのだということがわかる。

きっと、〝喧嘩《けんか》できるほど仲の良い友人〟なのだろう。俺とリックのような。

そういえば、あいつは元気にしているだろうか。立派なお貴族様になってほしいものだ。

「それ故……今日は一波乱あるやもしれぬ。覚悟しておくのじゃぞ？」

鼻先に米粒をつけたまま、レンジュウロウがニヤリと笑った。

◆

ネヤの里を抜けて、坂を上っていく。

目指すカドマの里は、以前見た『鳥居』という赤い建造物のそばにあり、標高的にはカタノの里や、ネヤの里よりもやや高い。おそらく、イコマきっての武闘派集団であるこの里は〝白師〟様の領域への門番も兼ねているのだろう。

「ふむ、見えてきた。あの門をくぐればカドマの里じゃ」

レンジュウロウの指さす先に、ヤーパン建築の巨大な門が見える。

「あの先に侍がいるのね！」

ミントが発した言葉にレンジュウロウが苦笑する。

「ワシもそうなのじゃがな……」

「だって、レン以外の侍って見たことないもの。どんな人達か楽しみだわ」

確かに。知識として知ってはいたが、今までレンジュウロウ以外の侍を見たことはない。

「表におるのは、侍か、僧兵か、柔術家ばかりじゃ。忍の者は基本、顔を見せぬしな」

「魔法使いはいないんですか？」

「おるにはおるが、数はそう多くないのう。竜巫女が管理しておるので、興味があれば尋ねてみると良いかもしれぬ」

「はい。機会を作って、ぜひ」

ヤーパンの魔法。魔法を研究する者で、それに興味を持たない者などいないのではないだろうか。

チヨの『ニンジュツ』をはじめとする特殊な魔法体系は、俺達が使う魔法とは一線を画している。

そして、それは昨日より俺の興味を占有する『気《オーラ》』によるものが大きい。

〝気体、液体、固体〟の状態を表わす三相にたとえれば、たゆたう魔力《マナ》は気体、確固として俺達を形作る理力《オド》は固体だ。その中間……液体にあたる『気《オーラ》』は、存在そのものに柔軟性を持たせることが可能なリソースだ。魔力変換《マナコンバート》などを例に挙げれば、その有用性は歴然だ。

固体をいきなり気体に変えるような負荷をかければ……人間、壊れもするというものである。

しかし、『気《オーラ》』のコントロールを身につければ、負荷なく適切に魔力変換が可能になるかもしれない。そうすれば、俺が個人として使用可能になる魔法的なリソースはずっと多くなる。

「……アストル？　アストル！　……賢人モードは、あと。今は挨拶、だよ？」

妄想《もうそう》と思考に揺れ動く俺を現実に引き戻しながら、ユユが笑う。

「わ、わかってる。わかっているとも」

「もう。でも、調子戻ってきた、かな?」

日常が戻りつつあることに俺も安堵しつつ、今日の目的を再確認する。

「では、参ろう」

会話をしている間に到着していた門を、レンジュウロウに続いてくぐる。

そして……あっという間に俺達は武装した集団に取り囲まれてしまった。格好こそイコマの住民とそう変わらないが、ほぼ全員が男で、その手には思い思いの得物を携《たずさ》えている。

あまり友好的な出迎え方ではない。

「何よ……!?」

当てられる殺気に反応するように、ミントが負けじと殺気を放ちながら、俺とユユの前に出る。

ユユはユユで、魔法を発動待機《ストック》させているようだ。

先頭にいる坊主頭の青年が、大槍を構えてレンジュウロウを睨み付ける。大した気迫だ。

「何者か!」

「マイカタに会いに来た客よ。通してくれい」

「! お館様《やかたさま》を斯様に呼ぶ者に会わせるものか!」

「なんじゃ、ややこしい。配下には家名を名乗っておるのか?」

ずい、とレンジュウロウが進み出ると、それにあわせて、坊主頭も前に。

「押し通るつもりか！」

「血の気の多いことよ。誰ぞワシの顔を知っておる奴はおらんのか」

「まさか……」

屋敷の方からレンジュウロウの言葉に小さく応える声が聞こえた。

「レンジュウロウ様！　レンジュウロウ様ではありませんか！」

「おお、キサイチ殿。久しいな」

人をかき分けて出てきた壮年の男が、片膝をついてレンジュウロウさんに頭を下げる。

地味ながら一目で上物とわかる着衣が土で汚れるのも憚《はばか》らずに跪《ひざまず》く姿は、まるで王を前にした騎士のようだ。

「お帰りなさいませ。よくぞお戻りになられました」

「よせ、キサイチ殿。ワシに頭を下げるような立場ではあるまい」

「何をおっしゃる。このキサイチ……お館様と呼ぶのはレンジュウロウ様ただ一人と決めております」

「むう、それではヒラカタが報《むく》われまいて。して、あやつは？」

「ご案内いたします。さ、こちらへ」

俺達と周囲を置き去りにして、レンジュウロウが歩いていく。

坊主頭の青年がなんとも言えない顔で俺を見るが……置き去りにされたのは俺も同じである。

「あの、失礼します」

軽く会釈《えしゃく》して、姉妹と共にレンジュウロウの後を追う。幸い、彼は大きくて目立つのですぐに背中を捉えることができたが、もし目が見えないままだったら迷子になるところだった。

追い付くべく歩調を速めるこちらを振り返り、レンジュウロウは素知《そし》らぬ顔で手招きする。

「アストル、何をしておる」

「置いていったのはレンジュウロウさんでしょう」

「そうであったの。すまぬすまぬ。ガッハッハ」

笑って誤魔化《ごまか》すレンジュウロウに、少し違和感を覚えた。

時折マイペースなところはあるが、この場面で俺達を置いてけぼりにするのは彼らしくない。

その顔からは少しばかりの緊張感が漏れ出ている気がする。

「レンジュウロウさん。その……深呼吸を」

「む。アストルに勘付かれるとは、ワシもまだまだよな」

「レンったら、ちょっと挙動不審。どうしたっていうのよ？」

「ヒラカタ様に会うのが億劫《おっくう》なのでございましょう」

ミントに問い詰められて困り顔のレンジュウロウに代わって、道案内するキサイチさんが答えた。

「そうではないのだが……いや、そうとも言えるか」

レンジュウロウは珍しく煮え切らない様子で、頭をガリガリと掻《か》く。

「お父様。しゃっきりなさいませ」

レンジュウロウの影の中から、チヨの声がする。

「そうは言うが、お主のせいでもあるんじゃからな？」

「昔の話でございましょう？　きっと今は落ち着いておられますよ」

「そうかのう」

一抹《いちまつ》の不安を覚えながらも、俺達は侍大将〝ヒラカタ〟の屋敷へ到着した。

「頼もう。ゴンジュウロウはおるか」

ノックもなしに引き戸を勢いよく開け放つレンジュウロウの後ろから、中を覗き見る。

ヤーパン様式の家屋は大体似た作りで奇をてらったものはそうないが、この屋敷は玄関がやけに広かった。

その土間と呼ばれる砂を固めた玄関の先で、一人の狼人族《コボルト》が座っていた。

レンジュウロウが灰色狼だとすれば、彼は白狼。やや面長《おもなが》で、体格は同じくらい。

毛足の長さはレンジュウロウの方が少し長いか。

「来たか……レンジュウロウ」

「おお、ゴンジュウロウ。息災か？」

「見ての通りよ。さて……用件は割り符であったかな」

こちらの返事を待たずに、白狼が懐から色鮮やかな何かを取り出し、こちらへ放り投げる。それをチヨが受け止めて頭を下げた。

「……では、試合おうか」

すっくと立ち上がったゴンジュウロウが、腰の刀をすらりと抜く。

「いや、待て。お主と打ち合うために立ち寄ったのではないのだ」

「この時を待っていたのだ。今度こそ……今度こそお主に勝ってみせる」

ゴンジュウロウは殺気と決意、それに後悔のようなものが入り交じった様子でレンジュウロウを睨みつける。キサイチさんが窘めるが――

「ヒラカタ様。お客様の前ですぞ」

「止めるなキサイチ。お主とて、侍大将となったレンジュウロウの姿に焦がれた家臣の一人であろう？　奴が儂を下せばそれが叶うぞ」

ばつが悪そうに黙るキサイチさんに代わってレンジュウロウが白狼を宥める。

「ゴンジュウロウ。その話は二十年前に終わったはず。今のワシは一介の冒険者よ」

「納得などできるものか！」

激昂《げきこう》するように吠えるゴンジュウロウの声で周囲の空気がビリビリと震える。

「抜け、レンジュウロウ。真剣勝負だ」

「断る。のう、ゴンジュウロウよ……あれから二十年。お主は立派に侍大将を務めておるではないか。今さら試合ったところで意味はなかろう」

「お主はいつもいつもそうやって……！」

「ワシは流浪《るろう》が性《しょう》にあっておる。里の期待など、重くて背負えぬよ」

いつもの雰囲気に戻ったレンジュウロウが、諭《さと》すように告げた。

毒気を抜かれたように、ゴンジュウロウは刀をゆっくりと鞘に戻す。

「儂とてその器ではなかったのだ……」

「なに、ワシよりは向いておるよ。人の上に立つにはワシは人を斬りすぎた」

その言葉に、どれほどの重みがあるのか俺には推し量れなかったが、二人の様子から、それが相当な発言だということは理解できた。

「まあ、良い。では、別件だ……チヨ殿を息子の嫁に――」

「その件は、はっきりとお断りしたハズですよ、ヒラカタ様」

にべもない様子で、チヨは即刻拒否する。

「それに、わたくしも今は一介の冒険者の身ですので。好きな殿方もおりますし……」

チヨの言葉を聞いたレンジュウロウが狼狽する。

「なぬ。聞いておらぬぞ、チヨ」

「お耳に入っていないだけでは？」

狼人族《コボルト》二人がうなだれる。

「しかし、侍と忍の融和《ゆうわ》が……」

「ゴンジュウロウ、それは侍大将としてのお主の仕事であろう。チヨを道具に使うでないわ……、チヨ、アストルはダメじゃぞ？」

「アストル様ではありませんよ、レンジュウロウ様」

さらりと名前を呼んだようだが、レンジュウロウに気付いた様子はない。

「やはり、お前とトウミ殿で戦部《いくさべ》を取り仕切った方が良いのではないか……？　それを望む者は多い」

唸ったゴンジュウロウが困り顔でレンジュウロウを見る。

事情は窺い知れないが、レンジュウロウはこの『イコマ』において、重要なポストにあったのだろうと推察できる。

「トウミに失礼じゃよ。さて、割り符は頂戴した。お暇するとしよう」

踵《きびす》を返すレンジュウロウを、ゴンジュウロウが強く呼び止める。

「待て、レンジュウロウ。里におる間に、試合を申し込みたい」

「お主、まだ言うか」

さっきとは打って変わって、ゴンジュウロウが頭を下げる。

「剣聖ゴモンの直弟子はもはや我らのみだ。一人の剣客として、男として……頼み申す。今を逃せば、もはや機会など来ぬやも知れぬ」

その真剣な眼差しと、溢れ出る清々しいまでの純粋な殺気。

それはレンジュウロウをやる気にさせるに充分だったようだ。

今にも斬り合いが始まりそうなピリッとした空気が辺りを支配する。

「――……承《うけたまわ》った。……じゃが、〝白師〟への謁見《えっけん》が済んでからじゃ」

「それでよい。後顧《こうこ》の憂《うれ》いあらば、またお主は刃を鈍《にぶ》らせるやもしれぬのでな」

「抜かせ。ワシの刃が鈍ったことなど一度もないわ」

緊張を散らせて、おどけた顔を見せたレンジュウロウが、今度こそ屋敷の外へ歩いていく。

再び置いてけぼりにされた俺達は、ゴンジュウロウに会釈して屋敷を後にした。

「レンジュウロウ様」

スタスタと先を行くレンジュウロウの背中にキサイチさんが声をかけた。

「キサイチ。今後もようようと弟弟子を支えてやってくれ」

「はっ……。しかしながら、このキサイチは頑固者です故、お館様とするはレンジュウロウ様ただ一人ですぞ」

「まったく、あやつも苦労するのう……」

「それで……トウミ様のもとに行かれるので？」

さっきとから時々聞く『トウミ』が、これから向かう忍頭の名前だろうか。

「うむ。割り符をもう片方もらわねばな」

「その割り符って、どういうものなんですか？」

少し疑問に思っていたので、尋ねてみる。

「これはの、社の門番たる侍大将と忍頭が認めたという証拠よ。本来ならば受け取るのに課題があるのじゃがな」

ヤーパン流のアポイントメントの取り方というわけか。

「二つ合わせると一枚の木簡《もっかん》となる。それを竜巫女が確認して初めて、〝白師〟に謁見が叶うというわけじゃ」

「じゃ、あと一枚の方をもらえばいいのね？」

「そう簡単にいけば良いがの……」

困り顔のレンジュウロウさん。

「何か問題でも？」

俺の疑問に、キサイチさんが笑いを堪えながら答える。

「トウミ様は昔、レンジュウロウ様のことを慕《した》っておられましたので」

「これ、キサイチ。そういう……あれではないのだ。ちょっとばかり、のう」

「結局、例の森人《エルフ》とはどうにもならなかったのでしょう？　いっそトウミ様と一緒になられては？」

森人《エルフ》？　レンジュウロウの古い知り合いの森人《エルフ》というと……まさか。

「そのような話はよいではないか。ほれ、行くぞアストル」

焦った様子のレンジュウロウさんに、俺達はまたしても置いていかれる羽目になった。

◆

ゴンジュウロウの屋敷を後にした俺達は周りの武芸者達に遠巻きにされながら、カドマの里を歩く。

居心地悪いことこの上ないが、ここを歩かねば次の目的地には行けない。

忍頭の屋敷は中心からやや離れた山中にあるらしい。

「忍ってことは、チヨさんの、先生？」

見る。

「左様でございます」

ユユの質問に、チヨは少し固くなる。それに反応するように、レンジュウロウが不自然に空を見る。

人の秘密を根掘り葉掘りするのはどうかと思うが、毎度これでは俺達の方が参ってしまう。

「レンジュウロウさん、軽くでいいので話してください。このままじゃ、フォローもできないし、どの話題が禁忌なのかもわかりませんよ」

レンジュウロウは〝むむ〟と唸ってしばし考えてから、近くにある一件の店を指さした。

「少し休憩していくとしよう。立ち話で語ることでもあるまいしな」

それに頷いて、店へと向かう。

店は木造二階建てで、入り口にはヤーパン文字で二文字の何かが書かれている。

「えーっと……ソバ？　かな」

「読めるのか？　ユユ」

「ん。来る前に少し、勉強したから」

俺も以前調べはしたが、残念ながら読めるようにはならなかった。

ヤーパン文字は難解すぎる。あれならまだ魔法式を解析している方が容易いくらいだ。それをこうも短時間で習得するなんて、ユユはすごい。

もともと呑み込みの早い方だが、語学センスはトップクラスだと思う。

「二階の座敷を借りてよいか？」

レンジュウロウが何やら頼むと、愛想のいい店員は俺達を二階に案内した。

二階部分は小部屋がいくつかあり、そのうちの一つに腰を落ち着ける。

部屋の中にあるのは、テーブルと座布団だけ。このシンプルさがまたヤーパンらしいと感心する。

「イコマソバを人数分頼む」

店員が〝はい〟と返事をして襖を閉めてからしばし……一口茶をすすってからレンジュウロウさんが、切り出す。

「さて、何から話すかの……」

「では、侍大将との経緯からお願いします」

「ふむ。あれとワシは師を同じくする同門の出でな。いわば兄弟のような間柄であった」

「それがどうして、ああも剣呑《けんのん》なことに？」

「二十年前、ワシが試合わなかった故に、かの」

レンジュウロウは語る。

二十年前、『イコマ』には世代交代の波が押し寄せていた。

侍大将の候補は二人。それがレンジュウロウとゴンジュウロウだった。

「我らの実力は拮抗《きっこう》しておった」

その話をレンジュウロウは当時すでに冒険者として活動していたことなどを理由に、その話を断った。しかし、納得できない者も多くいた。

「試合で決める……前任の侍大将はそうワシらに言った。侍とは強き者の名であるが故にな。……

しかし、ワシは試合へは出向かなかった。結果としてゴンジュウロウは不戦勝となった」

遠い目をして茶をすするレンジュウロウを見てミントが感想をこぼす。

「珍しいわね。レンが戦いから逃げるなんて」

「……抜けば斬らねばならぬ」

一応、決着はついた。それに異を挟める者はいない。

同門で狼人族《コボルト》――レンジュウロウとゴンジュウロウは似た者同士だった。

双方とも〝抜かば斬る〟を地で行くだろう。そう考えれば、レンジュウロウが退いたのは、里にとってもお互いにとってもベターな選択だったように思える。

だが結果として、それは二人の間とそれぞれを慕う者達に大きな禍根《かこん》を残すことになった。

「……その後、ワシはほとぼりを冷ますべくエルメリア王国へ渡り、エインズと出会ったのだ」

チヨのことなど、他にもいくつか疑問はあるが、あまり突っ込んで聞くのは良くないだろう。

大筋《おおすじ》がわかれば問題ない。

「……イコマソバでございます」

湯気の立つ大きめの器をお盆に載せ、女中が襖を開けて入ってきた。

話に聞き入っていたせいか、店員が来ていることに気が付かなかったようだ。

「さあ、食おう」

「ええ、のびる前にどうぞ」

……何かおかしい。

いや、おかしくないことがおかしいのだ。感覚の鋭くなった俺、さらには熟練の忍であるチヨが、女中に気づかないなどという状況があるのか？

そんな中、レンジュウロウが女中に声をかける。

「入っておるのは痺《しび》れ薬か、眠り薬か……トウミ、お主は変わらぬの？」

「相変わらず鼻がよう利きはりますなぁ。もう一人、気付いてはるみたいやけど」

女中は微笑みを浮かべ、俺の方をちらりと見る。

「紹介しよう、こやつがトウミ。トウミ・ジュウゾウじゃ」

「ご紹介にあずかりました。トウミです……よろしゅうに」

人懐《ひとなつ》っこそうにニコニコと笑うこの女性からは、一切の気配を感じない。

目の前にいるのに、目を離したら二度と見つけられなさそうだ。

「し、師匠……」

「おチヨやないか。久し振りやねぇ、元気にしてるんか？」

「は、はい……」

必要以上に緊張した様子のチヨの肩に、トウミが手を置く。

「また会えて嬉しいわぁ……」

「…………！」

蒼い顔で目をつぶったチヨを、レンジュウロウが引き寄せてその両腕で隠す。

「よさぬか、トウミ。チヨは抜け忍ではないぞ。ワシが配下にもらったのだからの」

「寂しいわぁ、昔みたいにジュウゾウちゃんって呼んでぇや」

「昔とは立場が違うであろう？」

「ゴンちゃんは名前で呼んでたやん？」

その言葉に、冷たいものが走る。この忍頭の女性は、俺達がここに来るまでの一切を知っていると、暗に告げているのだ。トウミはにこりと俺に笑いかける。

「そないな怖い顔せんでも、風呂場は覗いてへんよ。……ちょっとしか」

……イコマに入って以降、ずっと見張られていたと思った方が良さそうだ。

「ほな、あては屋敷に戻るさかい。あんじょう腹ごしらえして、ゆるりとまいりゃれや……」

そう言い残して、忍頭は景色に溶けるようにして姿をくらませた。

「……行ったか」

レンジュウロウが大きなため息を吐き出す。俺も一気に肩の力が抜けた。

「なんだか……いろいろすごい人ですね」

「当代きっての忍じゃからの」

「レンとやけに親しそうじゃなかった？」

トウミが消えた方をぼんやり見ながら、ミントが首を捻る。

親しいというか、馴《な》れ馴《な》れしいというか、レンジュウロウに向ける絡み付くような視線は、あまり良いものとは思えない。

「そういえば、ゴンジュウロウがトウミさんと一緒に……なんて言ってたわね。どういう意味なの？」

「そのままの意味よ。トウミはかつてワシの……嫁候補であったのだ」

レンジュウロウ曰く、かつて侍と忍には距離があり、意見の違いから反目《はんもく》することが多々あったそうだ。二十年前はそれが顕在化した時期でもあった。

そんな状況を改善すべく提案されたのが、侍大将候補と忍頭候補の婚姻というイベントである。ゴンジュウロウはすでに嫁を娶《めと》っていたため、自《おの》ずとレンジュウロウが選出された。さらに、それをトウミが強く希望したという裏事情もあったらしく、ほぼ決定に近かったようだ。

しかし、当のレンジュウロウは例の試合を放り出した後、こちらの話も有耶無耶《うやむや》のまま『イコマ』を出奔《しゅっぽん》。結果、ゴンジュウロウにもトウミにも恥をかかせた形になってしまった。

「トウミを避けておったわけではない。ただ、ワシには当時想う人がおり、試合のこともあって里に居るわけにもいかなかった。それにワシとトウミが縁を結べば、ゴンジュウロウを侍大将にするというワシの目論見《もくろみ》が台無しになってしまうでな」

確かに、これから里を出ようという者が、次期忍頭候補と……というのはどう考えても無理がある。もし婚姻が実現すれば、里の利益からして侍大将はレンジュウロウに決定していただろう。

「ねぇ、レン……今回、帰って来て良かったの？」

ミントが言った通り、これだけの問題を抱えながらの里帰りは確かに不自然とも思える。

「お主らには案内が必要で、ワシには清算が必要じゃった。それもあってマーブルはワシに案内を頼んだのじゃろう」

「あの、お父様、そろそろ……」

　抱えられたままのチヨが、顔を赤くしている。

「おお、すまぬ。チヨにも迷惑をかけるのう」

「いえ……」

　想い人の腕からするりと抜け出して、その隣にちょこんと座ったチヨが、茶をすすって顔色を誤魔化している。なんとも微笑ましい光景だが、彼女についても疑問がある。

　トウミがチヨに並々ならぬ関心というか、敵愾心《てきがいしん》を向けているような、そんな気がするのだ。

「トウミさんって、チヨさんのこと、嫌いなのかしら」

　俺がどう尋ねるべきかと言葉を模索している間に、ミントが核心に踏み込んだ。

「師匠は、わたくしを恨んでいるかもしれません」

　チヨが、小さくそう漏らした。

「わたくしも末席ながら候補に上がっておりました。実力は師匠に遠く及ばずとも、半森人《ハーフエルフ》は寿命が長いので長くお役目が果たせるであろうと……。しかし、わたくしはお父様を追いかけて里を出ましたので」

「忍が主人を追うのに問題はなかろう。全てはワシが至らぬ故に起きたことよ」

　便宜上、チヨはレンジュウロウの配下という扱いになっている。その主人に付き従う、という選択は特に問題ないはずだ。特に二人は親子の間柄でもあるのだから、むしろ自然とも言える。

「それでも、師匠は裏切られたと思ったでしょう」

俯いて黙り込むチヨを見て、ミントがあっけらかんと言い放つ。

「ま、レンが悪いわ。誠心誠意謝りなさい」

「そうじゃの。許してもらえるとは思えぬが、詫《わ》びは入れねばなるまいて」

「わたくしも、謝ります」

父娘揃って小さくなる様はよく似ていて、まるで血が繋がっているかのようだ。

重くなった空気を払うべく、俺はみんなに移動を促す。

「とにかく、せっかくのお招きです。急いで向かいましょう。込み入った話は顔と顔をつきあわせてするものですしね」

どういう結果になるにせよ、レンジュウロウとトウミは話し合う必要がある。

誤解というわけではないが、すれ違っているのは確かだろう。

「そうさの。お主らには迷惑をかけるが……しばし付き合ってもらうとしよう」

「今まで散々迷惑をかけていますから」

「アストル、それは、違う」

ユユが俺の裾を小さく引く。

「それを言うなら、散々世話になっている、だよ」

「どう違うんだ……」

俺の言葉に、ユユはふるふると首を振る。

「レンさんは迷惑だと思ってない、はず」

「然り。アストルと出会ってから実に楽しませてもらっておる。手助けするのを迷惑と思ったことなぞ、一度もない」

「では、それと同じですよ。レンジュウロウさんのことで、俺達が迷惑だなんて思うわけないでしょう？」

「ふむ、これは一本取られたのう。しかし、ユユ、お主……アストルを誘導するのが上手くなったものよな」

「フフ、なんの、こと……かな？」

ユユが俺に小さく目配せしながら悪戯っぽく笑う。

この場を収めるのに最適な、実に見事な言葉捌きだと感心するしかない。

「ねぇ、ところで……この蕎麦《そば》って食べ物どうするの？　アタシ、おなか減っちゃった」

ミントの発言で思い出したが、毒が入っているとか言っていたな。

いくら腹が減っていても、さすがに毒ごと喰らうわけにはいかないだろう。

「冷めてしまったし、もう延びておる。新しいものを頼むとしよう。毒が入ってるのはワシの器だけじゃがな」

そう告げると、レンジュウロウは置いてあった大きな鈴を鳴らした。

◆

「ようお越しやす」

そんな言葉で迎えられて広間に通された俺達は、なんだか怖い笑顔の当主と向かい合っている。

「アズマ・レンジュウロウ、学園都市ウェルスより客人を連れ申した。〝白師〟様に目通り叶うよう、お取り次ぎ願う」

先頭に座ったレンジュウロウが、胡座のままトウミに頭を下げる。

「……蕎麦屋で会《お》うたのに、今さらそれやるんか」

「段取りは守るべきじゃろう？」

「変わらへんなぁ……」

トウミが懐かしげな目でレンジュウロウを見る。

「でも変わらなすぎやろ。何も変わってへんし、何もわかってへんな……」

「変わったことも変わらぬこともある」

レンジュウロウが、再び頭を下げる。

「……すまなかった」

「レン。……里抜ける前に来てくれたらよかったのになぁ」

「そうしたら、お主はワシを捕らえておったろう？」

「当たり前や」

「で、あろうな……故に黙って出た。里にワシがおると無用な混乱を招きかねぬからの。お主にはわりを食わせたと思っておる。まことにすまぬ」

再びレンジュウロウが頭を下げた。

「ほな、今回は？　もうしがらみはないんちゃうの」

「む？」

「侍大将はもうゴンちゃんがしっかりしてはるし、例の森人はもう諦めてるんやろ？」

トウミの目が妖しくも鋭く光る。まるで肉食の獣が獲物を狙う時の目だ。

「あいや、ワシは……」

「ええよ、一年のうちに何回か帰ってくれたら冒険者でもかまへん。おチヨも弟子やさかい半分子供みたいなもんやし、気にせぇへん」

畳みかけるように逃げ道を塞いでいくトウミに、レンジュウロウもタジタジだ。

「そうは言ってもじゃな……」

「なんや……あてのこと嫌いなんか？」

目を伏せるトウミに余裕をなくして、レンジュウロウが取り乱しはじめる。

「そうではない！」

「ほな、ええんか？」

「そうでもない！」

ちょっとした喜劇を見ているようだが、俺としてははらはらしてしまう。

あれで、レンジュウロウは戦闘以外ではてんで押しが弱いところがあるのだ。

チヨさんのことがあるので、見ているこちらは落ち着かない。

「そや、おチヨに忍頭譲って、あてがついていこか」

「それはアタシ達が承服しかねるわ」

ミントが静かに、しかしながら強く宣言した。

「パーティにとって、信頼は最も重要よ。チヨさんの代わりになんてなれないわ」

「おお怖。昨晩はあないに可愛らしかったのに」

「んな……!?」

赤面して黙り込むミントに代わり、レンジュウロウが口を開く。

「ワシを買ってくれるのは有難いがな、トウミ。お主と祝言《しゅうげん》を挙げる気はない」

「せやろね」

トウミは残念がるわけでもなく、けろりと笑う。意図がよく読めない人だ。

ちらりと横に座るユユを見ると、同じく視線をこちらによこして、わずかに口元を弛《ゆる》ませている。

どうやら、彼女は何かに気がついているようだ。

ユユがこの調子なら、そう悪いことにはなるまい。

「ほな、代わりに〝娘〟と祝言を挙げてもらおうかいね」

「トウミ、お主……子がおったのか?」

「ほんまに鈍い犬コロやねぇ……」

盛大にため息をついて、トウミは視線をチヨへ向ける。

「おチヨ、はよせんと。ほんまにあてが取ってしまうで」

「そ、それは……！」

なるほど、ここが正念場か。チヨにとっても、レンジュウロウにとっても。

口ごもるチヨに、レンジュウロウが首を傾げる。

「なんの話をしておるのだ？」

「お父様……いえ、レンジュウロウ様。例の謀《はかりごと》、ここにて明かさせていただきます」

意を決した様子のチヨが、懐から紅白のヤーパン紙でできた何かを取り出す。

「これを……これを！　お渡しする、つもりでございました」

チヨは手紙のようにも見えるそれを、レンジュウロウの前にそっと置くと、俯いて黙った。

「これ、は。うむ？　ん？」

狼狽した様子のレンジュウロウは、チヨとトウミ、それに俺達を落ち着きなく見る。

アレが何かは知らないが、状況から察するに、チヨはついに正面きって想いを伝えたのだろうことは想像がつく。レンジュウロウはその紅白の紙を見て眉をひそめる。

「チヨ、これは……冗談で出すものではないぞ？」

「こんの、アホたれが！　女が冗談で『結《ゆ》い文《ぶみ》』出すわけないやろ！」

小気味よい音が部屋に響く。トウミがレンジュウロウの頭をはたいた音と気が付くのには、一瞬の間が必要だった。そのくらいの、早業だったのだ。

「ぐぅ……」

「お父様、大丈夫ですか!?」

「うむ、大事ない。大事ないが、これは……どうしたものか」

『結い文』と呼んでいた紙をつまみ上げ、顎髭を触るレンジュウロウを、チヨは緊張した面持《おもも》ちで見上げる。

「それ、なんなんです？」

思わず、好奇心に負けて尋ねてしまった。

「これはのう……その、な……」

「正しくは、『縁結いの伏文』。結婚を申し入れるための、恋文、だよ」

言い淀むレンジュウロウに代わって、ユユが答えた。

「よう知ってはるね。賢人の嫁は賢人ってことやろか」

「ユユは、賢人じゃ……ない」

そこを強く否定されると、賢人の俺としてはいたたまれなくなるので、もう少しソフトにお願いしたい。

「さて、レンちゃん。どう返事するんや？」

険しい顔で考え込んだレンジュウロウは、しばしして紅白の『結い文』の赤い部分の紙を抜き取り……白のみとなったそれを、チヨに押し返した。

「……ッ！」

押し返された白い『結い文』を確認したチヨが、ビクリと肩を震わせる。

『結い文』の作法を知らない俺には、どういう意味の返答なのかわからない。あの反応は……もしかしてダメだったのか？

「……よいのですか？」

絞り出すようなチヨの声に、レンジュウロウが普段通りの様子で答える。

「良いも悪いも、『結い文』を出したのはチヨであろう？」

その顔はいささか緊張しているようにも見えるが、穏やかなものだ。

「……どうなったんだ？」

小声でユユに尋ねる。

「白い紙を返すのは、チヨさんに、白無垢《しろむく》を着せたい、という意志表示」

白無垢――ヤーパンにおいて、婚姻儀式の際に花嫁が纏う装束《しょうぞく》の名前だったはず。

つまり……チヨの作戦は、成功したということだ。

「はい、おめでとさん。はー、やっと肩の荷が下りたわ。二人してあてを二十年もヤキモキさせた責任はとってもらうで」

苦笑いしながら手をヒラヒラと振るトウミに、チヨが唖然と尋ねる。

「知っておられたのですか？」

「あてを誰や思てんねん。おチヨの考えてることくらい、まるっとお見通しや。さっきも言うたけど、半分親代わりのつもりやったんや。同時に、さっきまで恋敵でもあったわけやけど……。ああ、これやったな。ほうれ」

にやにやと笑うトウミが、俺に向けて割り符を投げてよこした。

「あんたさんはどないしはるん？　〝魔導師《マギ》〟？」

急に矛先を向けられて、ぐっと詰まる。

「悩んでもええけど、人族は寿命短いねんから。こいつらみたく二十年も悩んでられへんで？」

トウミは底意地が悪そうに、いまだ落ち着かない様子のレンジュウロウを見て笑う。その瞳の奥には、少しの寂しさのようなものが感じられた。彼女もまた本気だったということなのだろう。

「レンちゃん、おチヨ。これで里へのわだかまりはもう仕舞いや。結婚式は里でやるんやで？」

「……師匠、わたくしは……」

「競《せ》りに勝った女がショボくれた顔するもんやない。この唐変木《とうへんぼく》の犬っころの嫁になるんやから……相当な覚悟せなあかんで？」

そう笑ったトウミが立ち上がり、チヨを緩く抱き締める。

蕎麦屋の時とは違う、まるで本当に母のような、静かな抱擁。

何かしらチヨさんに囁いたみたいだが、野暮はしたくないので、耳を澄ますのはよしておいた。

「さて、割り符は揃たんやろ？」

「ええ、おかげさまで」

「ほな、竜巫女のお伺い待ちやな。あと、坊主はイクノさんところで治療やっけ？」

恐ろしいほどこちらの動きを把握されているが、致し方あるまい。

ここにいる限り、トウミの情報網から逃れることはできないと考えた方がいいな。

「そうですね。まだ体が完全に復調したわけではないので」

「まあ、坊主やったらなんとかするんやろな。いろいろ調べさせてもろたけど……あんさん、何モンや？」

トウミの目が俺を鋭く射貫《いぬ》く。興味と警戒の入り混じった、人を値踏みする視線だ。

「俺は俺ですよ。ちょっとばかり魔法が使えるだけの☆1です」

「この際、☆の数はええねん。でも、おかしすぎるやろ」

「何がです？」

おかしいとは心外だ。いつだって、できることをできる限りやってきたつもりだ。

「小迷宮《レッサーダンジョン》の攻略はまだしも、どうやったらたかだか数人で『魔神』を狩れるんや？」

ギクリと固まる。それに答えるには、今後は隠し通すと決めた姉妹の素性を明かさねばならない。

竜巫女が二人を知っているということは、当然トウミも知っているのだろうが……

それでも、二人が〝伝承〟されている秘術は表沙汰《おもてざた》にするべきではない。

「答えられません」

「狩ったことは認めるんやね」

答えをしくじったか。

「トウミ。我らは……アストルは、命を賭《と》してアレと相対したのだ」

「答えになってへん。なぁ、レンちゃん。数人で魔神狩りできる戦力についてどう思ってるん？」

トウミの言葉に、全身が震えた。ほんの少し考えればわかることだったはずだ。

俺が自分を過小評価する特性を持っているのは自覚しているつもりだった。

しかし、指摘されるまで全くもってその問題に意識がいかなかったのだ。

せいぜい、また☆1とわかれば厄介なことになるので、リックに戦功を丸投げしてしまおう……程度の感覚でしかなかった。

ひょっとすると、リックを予想以上にマズい状況にしてしまったのかもしれない。

「考えなしかい！　危なっかしい」

鋭く突っ込むトウミに、レンジュウロウが重々しく応える。

「考えてなかったわけではない。『イコマ《ここ》』に来たのはそれもあるのよ」

「〝草を生やそう〟ってワケかいな……。あんたどの面下げてそれをあてに頼むつもりやったん？」

「む……、それは、その、チヨに頼んでだな」

「しかも娘頼み……いや、嫁頼みかい。情けないこっちゃ。壬生狼《みぶろ》なんて呼ばれとったレンちゃんはどこへいったんや」

「その名は本国で捨ててきた故。……それで、頼めるかの？」

大きなため息をついて、トウミがパンパンと拍手を打つ。

「お前ら、聞いとるな？　各方面で盛大に草生やしてきて。ようよう隠れやすいのを三、四種類準備してや」

その声が部屋に響くと、何かしらの気配が遠ざかっていくのがわかった。まさかと思ったが、最初から部屋の周囲で気配を消していたのか。

さすが本場の『忍』は練度が違う。一人一人がチヨさん並みに気配を消すのが上手い。最初から部屋の一部みたいに気配を同化されては、感覚が鋭敏になっている今の俺でも気付くのは無理だ。

「すまぬな」

「しゃーない。今回だけやで？」

「えーっと……？」

二人の間では話が付いたみたいだが、専門用語や隠語ばかりで、何がどうなったのかさっぱりだ。

首を傾げる俺に、チヨが耳打ちした。

「〝草を生やす〟というのは我々の隠語で〝真実を隠す、誤魔化す〟という意味です、アストル様。周囲に鬱蒼と偽情報の雑草を生やして見つかりにくくするのです。また、各所に潜伏する忍びのことを『草』と呼称するので、それとの掛詞《かけことば》になっております」

「なるほど……。ヤーパンってのはやっぱり面白い……！　研究する賢人が後を絶たないわけだ」

湧き上がる俺の知識欲に反比例するように、トウミが冷たい視線を投げてきた。

「ちょっと危機感なさすぎやろ……これやから賢人はあかんで」

◆

レンジュウロウもかくや、という小言にしばらく晒され……ようやくトウミの屋敷を後にできた俺達は、イクノ治療院へ向かうことにした。

「疲れた……。これならまだレンジュウロウさんの説教の方がマシだよ」

体力は戻ってきているはずなのだが、すっかりくたくただ。

「あれで、ワシらのことを心配してくれておるのだろう」

「ん。トウミさんは、優しい」

人見知りしがちなユユがそう感じているのだ、きっとその通りなのだろう。

「竜巫女さんには会いに行かなくていいの？」

「竜巫女は〝白師〟の使い故に、こちらから押し掛けるのは失礼にあたる。おそらく割り符を手に入れたことは知れておるから、あとは向こう次第よ」

竜巫女は姉妹に興味があると聞いている。待っていれば、遠からず何かしらのアクションがあるだろう。

「あ、そういえば」

「なんじゃ、アストル？」

「ご婚約おめでとうございます。レンジュウロウさん、チヨさん」

あまりにも状況に流されすぎて、すっかりお祝いの言葉を贈るのを忘れていた。

「む、うむ」

「ありがとうございます、アストル様」

焦ったような照れるような顔を見せるレンジュウロウに対し、チヨは穏やかだ。

腹が据わると冷静なのは女性、というのはヤーパンでも変わらないらしい。

「でも、驚いたわ。いきなりだったもの」

「師匠の手前、誤魔化すことはできませんでしたし……お父様は全然気がついてくれませんでしたから」

「チヨさん、〝お父様〟に戻ってるわよ」

ミントの指摘に、口を押さえてはにかむチヨは、なんだか新鮮だ。これまでは『忍』という仮面で人間らしさを隠しているような雰囲気がしていたのだが、今の彼女は本当に幸せそうだ。

「ワシは鈍いのだろうか……」

「「鈍い」」

姉妹に揃って断じられて、レンジュウロウが肩を落とす。

長らく父娘という関係を重ねてきたのだ、そうそう気づけるものではないとは思うが……俺も鈍いと言われたことがある以上、ここで余計な助け船を出せば共に撃沈するのは目に見えている。

そうこうするうちにイクノ治療院へと到着した。

「俺は治療を受けてくるから、みんなは先に戻っていてくれて構わないよ」

「そんなにかからないでしょ？　待ってるわよ」

「ん。ユユも」

姉妹が俺の両腕にそれぞれ腕を絡める。

「ではワシとチヨは、いつ竜巫女の使いが来てもよいように宿で待機しておる」

「わかりました。終わり次第、俺達も宿へ戻ります」

軽く手を振って、レンジュウロウさん達と別れ、治療院に入る。

「あ、アストル様ですね」

玄関先を掃き清めていた獣人の女性がペコリと頭を下げた。

「イクノ様は奥におられます。まずは受付へどうぞ」

「ありがとうございます」

会釈して、促された受付に向かう。受付の中には、数人の白衣を来た獣人がおり、その内の一人
……明るい茶色の毛並みをした小柄な影が俺に応えた。

ヤーパン固有の『柴犬』と呼ばれる犬種によく似ている。

「お、来たね、坊主。調子良さそうじゃないか」

「おかげ様で。今日もお願いします。イクノさんは狼人族《コボルト》だったんですね」

イクノさんは俺の言葉に目を瞬《しばたた》かせて、小さな眼鏡をくいっと上げる。

「なんだい、早速目が見えるようになったのかい？　幸先《さいさき》良いねぇ」

「昨日、温泉に入っていたら、急に見えるようになりまして」

「あ……なるほどねぇ。じゃあ、今日も気張《きば》っていくよ。こっちへおいで」

イクノさんはと俺を置いてすたすた歩いていってしまう。

狼人族《コボルト》は置いてけぼりにする癖でもあるのだろうか。

「はい。じゃ……行ってくるよ」

「ん。待ってる、ね」

「いってらっしゃい」

姉妹を待合室に待たせて、俺はイクノさんの後に続く。歩きながらイクノさんが語ったところによると、あの温泉の効能は本物で、いくつかの条件が重なった俺にはてきめんな効果を発揮したらしい。

「条件とは？」

施術室に通された俺は、促されるまま施療《せりょう》ベッドに横になりながら疑問を口にする。

「まず半実体であること。それに、あんたが特別魔力《マナ》を通しやすいってことだ」

存在係数《コスト》の低さが、こんなところで活きてくるとは……

「あと、昨日は経絡が開いた直後で、体に気《オーラ》が満ちていた。溜まっていたエネルギーが一気に体を構成しようと働いたはずだよ。……後で確認してみな」

そういえば、レベルを確認していなかった。

昨日の復調具合から考えて、レベルが上がっている可能性はある。

「必要以上に元気になったりはしなかったかい？」

「必要以上？」

「人にもよるけどね、気分が高揚して開放的になったり、食欲が異常に増したり、後は色欲がやたら強くなったりだ。人間の生きる本性が高まりやすいんだよ。間違っても裸で通りに飛び出したり、おチヨに襲いかかったりするんじゃないよ？」

じっと聞いていたが、なるほど……なるほど。そういうことか。

「なんだい？　黙り込んで……身に覚えでもあるのかい？」

「……ないですよ」

「怪しいねぇ……まぁ、いい。そのくらい元気になった方が治療しがいもあるってもんさ」

うつ伏せの俺の背中に、もふっとした手が当てられる。

「やり方は昨日と同じだ。でも今度は自覚して、自認して、コントロールしてみな」

その手から熱く、重いものが体に押し込まれてくる感覚。

……だが、昨日ほどではない。体を押し通ろうとするそれを意識して、操ろうと試みる……が、掬いとった水みたいにコントロールからこぼれ、とてもじゃないが操ることなどできそうにない。

「筋は良い。でも、力任せじゃダメだよ。流れを理解するんだ」

流れを……

意識を深く潜らせる。

血流、魔力経路をイメージしていく。

体を循環し、俺を生物たらしめるものだ。

……では気《オーラ》の流れは？

同じだ。体を流れゆくもう一つの奔流……

掴んだ感覚が離れないうちに、その流れに意識を向ける。

逆らってはならない。それは止めたり、押し戻したりできるものじゃない。

そう、イメージするなら『円環』だ。一方向に流れ、最初も最後もない一つの繋がり。

でも、流されながら速さと強さは……コントロールできる。

これが……！

「掴んだね、それが気《オーラ》の本質さ」

背中からイクノさんの手が離れる。だが、俺は体を循環する気《オーラ》を自覚したままでいられた。

「速く、強く……そして濃く。それが錬気コントロールの基礎にして真理さ」

「ありがとうございます。体が軽い……！」

「気《オーラ》があんたの非実体部分を代替すれば、いずれ理力が実体を構成するようになる。今の感覚を忘れないようにしな」

「はい……！」

ベッドから起き上がって床に立つと、妙に浮き足立った気持ちになる。

「まだ完全じゃないから無理するんじゃないよ。だけど筋は良い……。思ったより早く良くなるかもしれないね」

腰をパンパンと叩かれて、気持ちが軽くなる。

もしかしたら、もうダメかもしれないと思ってすらいたのだ。

「さ、あの娘達が待ってる。早くいってやりな。ああ、でも気が満ちてるんだ。夜は控えめにね」

背中をぐいぐいと押されながら、俺は姉妹の待つ待合室へと足早に向かった。

◆

『イコマ』に到着して、はや一週間が経過した。すんなり会えるなどとは考えていなかったが、〝白師〟と会うのにこれほど時間を要するとは予想外だった。

先日、顔見せに訪れた竜巫女によると〝白師〟は何やら〝めぐり合わせの良い日〟を待っているのだという。神にも近い生物の言うことだ、きっと何か理由があるのだろう。

「しかし、見違えるようじゃのう」

朝の味噌汁をすすりながら、レンジュウロウが俺をちらりと見た。

「何がですか？」

「お主よ。もうすっかり良いのではないか？」

確かに、ここに来る前と比べれば、俺の体の状態は格段に良い。ひょっとすると、姉妹が今も維持している魔法効果を切ってしまっても大丈夫かもしれないほどに。

「まだ完全とはいきませんが、復調はしていますね。イクノさんには魔法を使う許可もいただきましたし」

これで気《オーラ》を応用した魔法の研究に取り掛かれるが、今は竜巫女に頼んでヤーパン魔法の教授をお願いしたい。

ヤーパンには固有の魔法体系が三つある。

『忍術』『巫術《ふじゅつ》』『陰陽術《おんみょうじゅつ》』だ。

『忍術』はチヨが使ったものを【反響魔法《エコラリア》】で再現して習得したので、一部俺も使える。しかし、『巫術』『陰陽術』はそもそも使い手があまりいない。

その数少ない使い手の全てが、『白師神宮』お抱えであり、言ってみればイコマにおいて『忍術』以外のヤーパン魔法は全て『白師神宮』が管理しているということだ。

ちなみに俺が使うような魔法は、ここでは『妖術』と呼ばれている。

ヤーパンの人間にとって、俺達の使う魔法はなんとも怪しいものに映るらしい。

「調子が良いのならば、稽古場《けいこば》に顔を出さぬか？　少し体を動かしておくのも良いじゃろうて」

「そうですね……でも、俺なんかがあそこに入っていくのはなかなか勇気がいりますよ」

種族ごったまぜで、周囲は全員侍。稽古は刀を模した木剣で行う。俺のように小剣《ショートソード》を使う者はいない。一人だけ得物が違うというのは、少々居心地が悪い。

……ちなみに、ミントはすでに何度か行っていて、一目置かれているようだ。

「なに、誰も気にせぬだろう。それに、皆に聞かれておるのよ。ミントの夫で〝白師〟に目通り叶う男がどういう者なのかとな」

焼き鮭《サーモン》をほぐす箸を止めて、ちらりとミントを見る。

「えへへ。自慢しちゃった」

大きくなるため息をなんとか抑え、まとめて俺は応える。

「わかりました。戦闘練習もしておかないと……。ぶっつけ本番なんてことになると大変ですしね」

「そう来なくっちゃ！　アタシも行くわよ」

「ユユも。アストルが無理しないように、見張る」

おっと……二人がついてきたら無様《ぶざま》なところを見せられないじゃないか。とはいえ、病み上《やあ》がり
――いや、死に上がりの☆1風情が、ヤーパンの『侍』相手にどうこうできるとは思っていないが。

「あ、なんか難しいこと考えてるわね？」

「いや、そうじゃなくて、ちゃんと体が動くか不安なだけだ」

「大丈夫じゃない？」

その確信じみた言葉はどこから出てくるんだ。

……まぁ、いいか。本当に何かの拍子《ひょうし》で戦いに巻き込まれた時、動けないじゃ情けないからな。

「そういえば、ゴンジュウロウさんとの試合はどうなったんです？」

「うむ。ここを発《た》つ際、ゴンジュウロウと打ち合うことになっておる。昔はワシの方が一手先を行っておったが、今はどうじゃろうな」

レンジュウロウの口から〝どうじゃろう〟なんて言葉が出るのが不思議だ。

それこそ、神にも匹敵しようという暗黒竜の蛇頭を二つも叩き斬っておいて、いまだゴンジュウロウとの戦いに不安があるというのだ。この『侍』という人種は一体どこまで強くなるのか。

「では、朝餉を終えたらカドマの里まで行くとしよう。準備を頼めるか、チヨ」

「はい、レンジュウロウ様」

返事をしたチヨが席を立って部屋を出ていく。

この二、三日で少し慣れてきたのか、雰囲気が父娘から脱却しつつある。とても喜ばしい。

「む、何をニヤニヤしておる」

「いえ、なんだか嬉しくて。レンジュウロウさんのことで相談されてましたから」

「お主にまでか……！　なんたる不覚」

頭をぼりぼりと掻くレンジュウロウだが、その様子はまんざらでもなさそうだ。

もしかすると、これまでのチヨのアピールはちゃんと効果があったのかもしれない。

ただ父娘としての絆《きずな》が深すぎただけなのだろう。

「さて、冗談はさておき……実際、お主どこまで動ける？」

「錬気に少し時間をいただければ、以前と同じくらいは動けると思います」

「ぬ……？　なんじゃと？」

レンジュウロウが眉根《まゆね》を寄せる。何かまずいことを言っただろうか。

「お主、錬気ができるのか？」

「イクノさんに教えていただいて、少しだけ」

「なんと、まあ……そんな数日で身につくものでは……いや、お主ならあり得るか」

「アストルだしねぇ」

食後のお茶をすすりながらミントが笑う。

「おそらく、存在係数《コスト》と俺が今までやってきた経験のおかげかと思います」

「なるほどのう。今できるか？」

問われて、姿勢を正す。

息を整え、体の隅々まで感覚を行きわたらせるイメージで意識を拡大していく。

体に渦巻く気《オーラ》の流れを認識して、それを流れに逆らわず循環させるようにして広げる。

「むぅ……確かに。ヤーパンでも斯様に短期間で錬気を身につける者はそうおらんぞ」

「アストルは、すごい、から」

「性質に合っていたんでしょう。それに、俺が半実体だったことも関係しているみたいです」

自分で使ってみてわかるが、これはとても強力な身体強化能力だと思う。

魔法式で肉体の賦活《アクティベート》を行う強化魔法とは意味合いが違う。説明は難しいが、骨や筋肉、それを支配する神経……それらを芯から強化する、別の体が内側にある感じだ。

「ふむ。もしかすると……もしかするかもしれぬな」

レンジュウロウは顎に手を当てて、何かを考えている。

ああなれば、声をかけても生返事が返ってくるだけだ。

まったく、俺を含めて賢人というのは困ったものだ。

◆

一週間もすれば『イコマ』の住民達も慣れたもので、気安い者は挨拶などしてくれるようになった。

そんな往来を歩いてカドマの里へ歩いて向かう。

四日ぶりの坂を上りきって山門をくぐると、まだ朝早いというのに活気ある声が方々から響いてくる。カドマの里には大小さまざまな稽古場があり、目の前にあるのはその中でも最も大きく、由緒《ゆいしょ》ある道場なのだそうだ。

レンジュウロウとしては自己鍛錬《じこたんれん》できればどこでもよかったみたいだが、ゴンジュウロウとキサイチが猛プッシュしたらしい。

ゴモンという高名な大剣術家の弟子であるレンジュウロウの訓練を見るだけでも、里の若衆の刺激になると言われて、断れなかったのだろう。レンジュウロウは里に後ろめたい気持ちがあるのだからなおさらだ。

興味の視線に晒されながら、俺達は稽古場の端を歩く。

木製の武器類が壁掛収納された場所まで歩き、そこでレンジュウロウが一本の短い木剣を手に取り、俺に手渡した。

「小剣《ショートソード》の木剣はないが、重さを調整したコダチ用の木剣ならばある。慣れぬと思うが、今日はそれを使うとよい」

鍔はなく、おそらく片刃を模している。……なるほど、コダチというのか。チヨが逆手《さかて》に持って使っているあの小さい刀の木剣だな。

「レンさんのは、本当は『太刀』っていうんだ、よ。それに〝小さい《スモール》〟のヤーパン語を足して、『小太刀』。ヤーパン版の小剣《ショートソード》、だね」

考える俺の手の平にヤーパン語をなぞって、ユユが説明してくれた。

「ありがとう、ユユ」

「どういたしまして」

小さくはにかむユユを見てほっこりしたが、周囲はそうではないようだ。

視線にちょっとした敵意が混じりはじめている。

「ほう、アストルよ。なかなか良い煽《あお》りではないか。稽古に熱が入りそうじゃ」

「そういうつもり一切ないんですけどね……」

何はともあれ、ストレッチを始める。

起き抜けにもきちんとやったが、運動前にしておくのも重要なことだ。

ついでにゆっくりと気《オーラ》をコントロールして錬気していく。

昨日の朝に気が付いたのだが、ストレッチと錬気は相性が良い。体の調子を見ながら足りない部分に気《オーラ》を送り込むことができるし、意外と精神集中も容易い。

「アストル、一戦目はアタシとやりましょう！」

「一戦目から俺をダメにする気か」

太刀の木剣を持ったミントが嬉々《きき》として誘ってくるが、俺としては加減をしてくれる相手とやりたい。レンジュウロウとかチヨとか……いや、稽古場にいる他の誰かでもいい。

「ミント殿。お相手なら某《それがし》が」

俺とミントの間に体をねじ込むようにして現れたのは、『カドマの里』を初めて訪れた際に立ちはだかった例の坊主頭の男だ。

「ハナテンさん、今アタシは旦那様と話をしてるんだけど？」

「これは失敬。目に入りませんでしたので」

挑発的な目つきでちらりと振り返る坊主頭《ハナテン》の男に苦笑しながら軽く挨拶する。

彼は『イコマ』ではなかなか見ない自己主張の強いタイプのようだ。

「いいよ、ミント。俺はまずゆっくりと体の調子を確かめているから」

「つまらないわね……せっかくリベンジしようと思ったのに」

ミントの言葉に周囲がざわめき立つ。

「今なんと？　この冴えない男にミント殿が？」

「当たり前でしょ？　アタシの旦那様はアタシよりもずっと強いわよ？」

それは大きな語弊があるな。戦闘力で言えば、ミントの方が圧倒的なはずだぞ。

「あと、アタシ達の目の前でアストルを〝冴えない〟なんて言うのはやめてもらえるかしら？」

うっすらと怒気をにじませて、ミントが坊主頭《ハナテン》の男に詰め寄る。

「……では、その御仁にぜひご教示願いたいものですな」

坊主頭《ハナテン》の男がこちらを振り返り、座ってストレッチする俺を見下ろす。

ミントは、どうしてこんなに俺へ敵対心を集中させるのが上手いんだろうか。

「やめよ、ハナテン。アストルは本調子ではない」

レンジュウロウが宥めるが、ハナテンは食い下がる。

「男子が道場に足を踏み入れ、武器を携えておきながら、斯様な言い訳を？　なんと情けない」

そういう決まりでもあるんだろうか？

「アタシがやればいいんでしょ、ほら、行くわよ」

「ミント殿、そうは参りませぬ。アストル殿とおっしゃったか……ぜひ一手、ご教授願いたい」

「うーん、俺は魔法使い……こっちでは妖術師でしたっけ？　なので、魔法を使いますけど、いいですか？」

「お好きになさるがよい。あとで言い訳などされては困りますからな」

言質《げんち》はとった。あとは俺が本当にやれるかだ。

「ちょ、ちょっとアストル！　大丈夫なの？」

「無理して、ない？」

「ま、やれるだけやってみるよ」

姉妹に応えて立ち上がり、木剣を振って確認する。小剣《ショートソード》とはやや勝手が違うが、なんとかなりそうだ。

「では、中央へ」

気が付くと、稽古中の者達はみんな稽古場の隅に寄っており、中央が広く開けられている。

「某、普段は槍を使いまするが……此度は太刀にてお相手いたす」

「得意な得物でいいですよ」

俺の言葉を挑発と捉えたのか、坊主頭《ハナテン》の男の顔がやや紅潮《こうちょう》する。

そんなつもりは毛頭ないのだが、この男少しばかり熱しやすい性格らしい。

中央に向かい合って立ち、得物を構える。

「審判はワシが務める。互いに侮りなきよう」

レンジュウロウのその言葉は俺に向けられたものか、それとも坊主頭《ハナテン》の男に向けられたものか。

「では、……はじめ！」

合図と共に、坊主頭《ハナテン》の男が大きく踏み込んでくる。

容赦があるのかないのか……最初の一手で俺の脳天を打ち据えるつもりらしい。

鋭く速いが、あまりにも素直すぎる。まだミントの方がその辺りの機微《きび》をわかった戦い方をする。

「てぇぁあぁッ！」

気合一閃、その一撃が振り下ろされた。

「ぬああッ⁉」

ハナテンの持つ木刀が粉々に割れ散り、本人もたたらを踏む。

そこへ踏み込んで木剣を首元へ押し当て、左手は胸の前に添えた。

これでレンジュウロウには決着がついたことがわかるはずだ。

「そこまで！」

レンジュウロウが腕を振り下ろして試合の終了を告げた。

「くそッ……何が⁉」

へたり込んだハナテンが悪態《あくたい》をついている。

「魔法です」

「妖術だと？　卑怯《ひきょう》な手を！」

「使っていいって、ご自分でおっしゃったんじゃないですか……」

起き上がるのに手を貸そうとするが、パシリと払われた。

「そもそも妖術は呪文を唱えねばならんのであろう？　お主は何もしていなかったではないか」

「始まる前からかけてましたからね」

「試合前からだと？　卑怯だとは思わなかったのか⁉」

魔法使いに時間を与えるとロクなことにならないというのは、ぜひ『イコマ』でも認知しておいてほしい情報だ。

「もう一回だ！　このような結果で納得いくものか！」

ハナテンの言葉に、周囲もざわざわと同調の意を示すが――

「……それは、実戦であれば自分が死んでいることを理解しての言葉か？」

「お、お館様！」

ハナテンが片膝をつく。

振り向くと、稽古場の入り口にゴンジュウロウが立っていた。

「相手が妖術使いとわかっていたのだろう？　あらかじめ妖術を使うとも宣言されていたはずだ。それなのに、何故お主は何も考えずに踏み込んだ？　見え透いた隙に任せて打ち込むなど、未熟も未熟よ」

ゴンジュウロウにそう断じられ、ハナテンは汗を垂らす。

確かに、レンジュウロウなら……いや、ミントであっても少しは警戒したはずだ。

「レンジュウロウ。〝魔導師《マギ》〟殿の調子は良いようだな？」

「いささかヒヤリとしたがの。元より斯様な試合形式でアストルに勝つのはワシでも難しい」

「レンジュウロウにそこまで言わせるか……！」

ゴンジュウロウは驚くが、こちらもレンジュウロウとやり合うなど、それこそヒヤリとする。

あの【必殺剣・抜刀】は〈反応装甲《リアクティブ・アーマー》〉など物ともせずに俺を断つだろうし、彼があまり使わない伏見流の連続斬撃など、俺には対処のしようがない。

……ちなみに、〈転倒《スネア》〉が通用しないのも実証済だ。

「とはいえ、アストルよ。それではここに来た意味をなさぬであろう。仕切り直してはどうか？」

「そうですね。次は普段《いつも》の俺のやり方で。ハナテンさん、お付き合いいただけますか？」

「……！」

バカにされたととられただろうか。ハナテンはしかめっ面を紅潮させながらも新しい木刀を仲間から受け取り、構える。再び相手をしてくれるようだ。

武器を構える前にいくつかの魔法を発動待機《ストック》させておく——魔法使いの嗜みというやつだ。

俺が構えたのを確認してから、再びレンジュウロウが〝始め！〟の合図を出す。

「……ッ」

今度は飛び込んでこない。ハナテンはじりじりと距離を詰めては気当たりとステップで俺を牽制してくる。でも、それは魔法使い相手にはやや悪手だ。

発動待機《ストック》した強化魔法で能力を高めつつ、彼が踏み込むであろう位置に〈転倒《スネア》〉を配置していく。

「フンッ！」

俺の準備がおおよそ済んだところで、最初の一撃を繰り出してきたが……ハナテンは予想通りの場所に足運びをしてくれた。力強く踏み込んだ彼の足が前につるりと滑る。

「ぬぉっ⁉」

そのまま尻餅をついたハナテンに、〈麻痺Ⅰ《パラライズ》〉を二回ほど浴びせる。

動転していたのだろう、さしたる魔法抵抗《レジスト》もなくそれを受けてしまった彼は、二回目の敗北を喫《きっ》することとなった。

「アストルの戦い方って言ったらやっぱりこれよねぇ……」

「お姉ちゃんの負け方にそっくり」

「だまらっしゃい！」

そんなミントとユユの声が漏れ聞こえる中、魔法を解除してハナテンに手を差し出す。

またしても払われてしまった。そうなるだろうとは思っていたが。

「卑怯、卑怯の極みだろう！　妖術使いめ！　打ち合いもなく気合もなく！　武芸者とは呼べたものではない」

「いや、俺は魔法使いなんですって。でも、次は魔法を使いませんので、もう一回お願いします」

「バカにしておるのか！　憐《あわれ》みか⁉」

ハナテンは顔を真っ赤にして怒気をぶつけてくる。言い方が悪かっただろうか。

「いいえ。今度は身一つで、あなたにどれだけ通用するのかを試させてください」

本来はそれが目的なのだ。

俺の体に錬気がどのような影響を与えているのか。そして、実戦に堪えうるのか。

もし、実戦に堪えられないなら、戦うためにどういう手段が必要なのか。

実験し、考察するべき点は多い。

「三度目の正直だ、今度は某《それがし》が勝つ！」

気合充分に立ち上がり、木刀を構えるハナテン。まっすぐで熱い奴だ。

「良いかの？」

レンジュウロウに頷いて応える。

「では、……はじめ！」

約束通り魔法は使わない。強化魔法の類もだ。

警戒してか、踏み込みをためらうハナテンに、今度は俺から踏み込む。

錬気で満たした体は軽い。俺の強化魔法と同等か、それ以上だ。

突然の肉薄に驚いたハナテンが、木刀を横薙《よこな》ぎに振るう。

速さはあるが、鋭さが足りない。充分に腰が入っていない、牽制に近い軽い振りだ。

一瞬止まって、それを木剣で下へと打ち払い……そのまま足を上げてハナテンの腹部へと蹴りを撃ち込む。体幹《たいかん》を鍛《きた》えているのがよくわかる、ずしりとした感触があったが、今回は錬気している俺に軍配が上がったようだ。

足先に一瞬ふわりと浮くような感触があった。

咳込み、くの字に体を折るハナテンの頸椎《けいつい》に、木剣を振り下ろす。

「そこまで！」

静まり返る稽古場にレンジュウロウの声が響き渡った。

「ぐ……」

怒りか情けなさか、俯いた顔からは推し量れないが、ハナテンが肩を震わせている。

逆に俺は、いささか驚いていた。錬気による身体能力の向上が、思った以上だったからだ。

端的に言うと、〝体の密度が違う〟。

動体視力も、反応速度も、それに応える筋力や体幹も以前とは全く違う。

まるで体の段階が二つも三つも上がったと錯覚させるほどに、俺の体は冴えていた。

「おい、今の見たか……」

「ああ、速すぎるだろう」

「錬気？　外様人《とざまびと》が？」

ざわざわとした喧騒《けんそう》が戻ってくる。

「あの……ありがとうございました」

俺は膝をついたままのハナテンに声をかけて、手を差し出す。

実際、彼に対する感謝の念は強い。相手がレンジュウロウやミントではお互いの手の内がある程度知れているし、もしかすると変に気を遣うかもしれない。

そうすると、俺は俺の状態を把握できないままになるところだった。

その点、このハナテンという若い武芸者は、俺が全くの初見の相手にどれだけできるかということを把握するに適当な相手だった。

彼にとってはひどく屈辱的《くつじょくてき》だとは思うが……

「参った。実に参った」

俺の手を握って立ち上がったハナテンが、すぐに頭を下げる。

「某の実力不足でござった。数々の無礼、お詫び申し上げる」

「いいえ、お相手いただき、本当にありがとうございます。痛むところはありませんか？」

「問題ない。ケガすらせぬほどに圧倒されました故」

顔から険《けん》は消え、ハナテンは朗らかで爽《さわ》やかな笑みを俺に向ける。

「まだ、名乗っておりませんでしたな。某は『白師神宮』の守護を生業《なりわい》とする者で、ハナテン・アジスキと申す」

「俺は、アストルと言います。庶民なのでファミリーネームはありません」

ヤーパン文化ではなじみが薄いであろう握手を交わす。

「ハナテン。身に染みたか？」

「は、お館様。某《それがし》の驕《おご》り、自覚いたしましてございます」

「左様か。精進《しょうじん》せよ」

そばに来たゴンジュウロウはそれだけ告げて、道場の別の場所へ歩いていった。その顔にレンジュウロウに似た小さな笑みが浮かんでいたので、何かを俺達の間に見出したのだろう。

「しかし、まことよく練られた気……某の修業不足を痛感しました」

そばに来ていたレンジュウロウが苦笑を浮かべる。

「ハナテン殿、こやつの錬気は体質的なものじゃて、あまり気にすることはなかろう」

「そうなんですか？」

俺自身にそういう感覚はない。

「そうともよ。普通は錬気を滞《とどこお》りなくするのに三年、それを武芸に高めるのに三年、極めて放つのに八年と言われておる」

「……放つ？」

なんだか、大変興味深いワードが飛び出したぞ。

「うむ。どの段階もそれ相応の努力と才能が必要じゃがな。伏見の使い手は最終段階の〝放つ〟まで至ってこそ、その真価を発揮すると言われておる」

「〝放つ〟……。気《オーラ》を？」

魔力《マナ》への変換や魔法式なしで物理現象を？

それとも何かしらの魔法現象を引き起こすのか？

この体の中で完結しているはずの力を外にどう向ける？

そもそも、この気《オーラ》という力がどういう作用で循環しているのかすらよくわかっていないのだ。感覚的に使っているだけでは、とても理論には到達できない。

もっと論理的に使うべきだろうか。

「「アストル！」」

「……ッ!!」

両の耳元で姉妹の声が聞こえて、俺は現実へ引き戻される。

「また、やってしまった？」

「またなってたわよ、賢人モード。元気になってくれたのはいいけど、気を散らしすぎよ？」

「すまないな。ここはあまりにも刺激的すぎるんだ。考察するべきことがたくさんある」

「もう、そういうのは、後で、だよ？」

ミントとユユに窘められる俺に、ハナテンが声を上げて笑う。

「すでに尻に敷かれておりますな？」

「この二人には頭が上がりませんよ。命の恩人ですしね。……それより、やっぱり気になる。〝放つ〟とは、どういうものなんです？」

レンジュウロウに向き直って、俺は質問をぶつける。

あの口ぶり……おそらくレンジュウロウはそれができるはず。少し考えた後、レンジュウロウは道場の奥で指導にいそしむゴンジュウロウに声をかけた。

「ふむ……ゴンジュウロウよ。ちょっと〝殺撃〟を揮ってもよいかの？」

「よいわけなかろう！」

すごい剣幕《けんまく》の返答に、レンジュウロウがこちらをちらりと見て苦笑する。

「ダメだと。残念ながらのう」

「殺撃……そういえば、あの時……」

攫われた姉妹を追うあの道中で『竜従者《ディーヴ》』となった男を寸断したあの斬撃。

あれが、〝気《オーラ》を放つ〟ということなのか？

「あれが……？」

「説明できぬが、お主ならとは思う。適切に修業を重ねればの。故に、もう一度見せてやろうと思ったのだが……まぁ、いずれの」

そもそも錬気について言葉で説明するのが難しい以上、その一段階上のことを言葉で言い表すなど困難に決まっている。ならば、いっそ見せてしまうのが手っ取り早いというのは、確かにレンジュウロウらしい考え方だ。

「アタシも錬気に興味が湧いてきたわ」

「何年かかるかわからんが、ワシが教えてやっても良いぞ？」

「いいわ、アストルに教えてもらうから。レンはチヨさんのことでも考えてればいいのよ」

レンジュウロウの腹に軽く拳を当てて、ミントが俺を見る。

「さ、やりましょ」

「ミントと？」

「あれだけ動けるなら、アタシとやり合っても問題ないでしょう？」

ニコリと笑うミントの目には、リベンジを果たそうという意図が渦巻いているのが見えた。

「俺は魔法使いだから、魔法を使うよ？」

◆

「ようやくか……」

〝白師〟が指定したその日の朝、俺達は例の『鳥居』という赤い門の前に立っていた。

かなり大きな建造物で、高さは十メートル以上ありそうだ。

見上げる俺達は、全員がヤーパンの装《よそお》い――レンジュウロウはいつも通りだが――に着替えている。

艶やかな『キモノ』に身を包んだユユとミントはなかなか華やかで可愛らしいと思うが、俺は『キモノ』に着られている感じがして、どうにも落ち着かない。

そんな俺と『鳥居』の周囲には、物々しく刀と槍で武装した者達が控えており、その中にはハナテンの姿もあった。

「皆様なかなかお似合いですな」

「俺はどうにも落ち着きませんよ。ハナテンさんの着ている『ドウギ』の方がまだ楽そうなんだけど」

「何をおっしゃる、聞くところによれば〝白師〟様のご指名はアストル殿だとか。失礼のない装いで臨んでいただかねば、接待するイコマの沽券《こけん》にかかわります故」

ハナテンはカラカラと笑うが、やっぱりこの上等そうな『キモノ』は俺に似合っていない気が

する。

「緊張、する」

そわそわしていると、ユユが俺の服の裾を小さくつまんだ。

周囲に人が多い上、これから神にも近い者と対面するのだ、緊張しない方がおかしい。

俺はその手をそっととって握り、〝同じだよ〟と伝えるために苦笑して見せる。

そんな様子を見てか、何やら指示を出していた竜巫女が、こちらに駆け寄ってきて笑顔を向けた。

「ユユさん、大丈夫ですよ。〝白師〟様は優しく気さくなお方です」

「ん。ありがと」

竜巫女と姉妹はこの数日ですっかり仲良くなっていた。神竜と邪竜の違いはあれど、同じく竜に関わる者として竜巫女は二人を親しく感じているようだ。

「では、アストルさん。割り符を」

「はい」

促されて、取り出した二つの割り符を竜巫女に預ける。

竜巫女はそれをかちりと合わせ、何やらヤーパン語で小さな詠唱をする。漂う環境魔力がにわかに濃くなりはじめ、辺りを満たす。古代魔法を使う時のような魔力の高まりだ。足元の大地から魔力《マナ》が『鳥居』に向かって流れていっているのがわかる。

「アストル、あれ……」

足元の様子を観察していた俺の耳に、ユユの小さな感嘆《かんたん》の声が届く。

顔を上げてユユが指さす方向を見ると、『鳥居』の先の景色が揺らめいていた。

――『転移門《ポータル》』！

レムシリアでは半ば伝説となっている魔法道具《アーティファクト》だ。

じっと目を凝らしてそれを観察する。

『鳥居』を稼働させている魔法式はとても不安定に安定していて、俺をなんとも言えない気持ちにさせた。まるで、『成就』の魔法式を見ているみたいだ。

複雑に絡まった魔法式が干渉しあって、絶妙なバランスを作り出している。

これは、割り符という別のアーティファクトを媒介《ばいかい》にして安定させているのか？

魔法式の意味付けや条件、定義はどうなってる？

「アストル？」

ジト目気味になっているユユに言い訳じみた笑顔を返して、『鳥居』を見る。

「あ、ああ……圧倒されるな、これは。ダンジョンでも滅多に見られないような強力な魔法道具《アーティファクト》だ」

「では、先にお進みください。皆様が通られましたら、私も追って同行いたしますので」

竜巫女が道を開けて、そっと頭を下げる。

「ふむ。どれ、アストル……一番槍を譲ってやろう」

レンジュウロウが俺の背中をポンと押す。

「では、失礼して。ユユ、一緒に行こう」

「ん。ちゃんと、握ってて、ね？」

二人で『鳥居』へ向かって歩く。

「あ、ずるい！　アタシも！」

後ろから駆けてきたミントが俺の腕を取る。

俺達はそのまま『鳥居』――『転移門《ポータル》』に足を踏み入れた。

景色が折れ曲がって変化する。空の色が朝から夜になるのを早送りするように、視界の景色がくるりと入れ替わって雪崩《なだれ》のように崩れて、再構成されていく。

脳の処理が追いつかなくて、若干気持ち悪いが……なるほど、これが『転移門《ポータル》』を使った場所移動の感覚なのか。もしかしたら、後々研究で使えるかもしれないので覚えておこう。

「うぇ……キモチ悪……」

「お姉ちゃん、だいじょぶ？」

ミントがえずいている。馬車酔いする彼女には、やや刺激が強すぎたようだ。

「ふむ。久方ぶりとなるが……ここは変わらぬな」

背後でレンジュウロウの声がする。

「いつもこうなんですか？」

「ここに来るのはこれで何回目となるか。慣れれば面白いぞ」

それだけ、レンジュウロウがこのイコマで重要なポストにあった、ということなのだろう。

「お待たせいたしました。ミントさん……？　大丈夫ですか？」

しゃがみ込むミントを、竜巫女が心配そうに見つめる。

「うぅ、大丈夫。歩いてる間に治るわ……酔い止め飲んでから来ればよかった」

なんの警戒もなく『転移門《ポータル》』に踏み込んだからだぞ、ミント。とはいえ、酔い止め的な物は持ってきていないので、帰りも同じ感覚を味わうことになると思うと、やや不憫《ふびん》だが。

竜巫女に案内されて、霧に煙る坂道を上る。

坂道の脇には、石造りの小さな灯台のような形のランタンが並んでおり、霧の中でぼんやりと光っている。

「それは灯篭《とうろう》というものですよ。ヤーパンでは神聖な場所の灯りとして置かれるものです。つけられた灯りは人の魂を模すとも」

俺の視線に気づいた竜巫女が説明してくれた。

『幽提灯《ジャック・オー・ランタン》』のような感じだろうか。あちらは精霊や妖精に近い存在らしいが……

「綺麗……」

「ホントにね。霧でぼんやりして、とても幻想的だわ」

ユユとミントはこの景色が気に入ったらしく、歩きながら周囲に視線を彷徨《さまよ》わせている。

これで崖にでも落ちたら本当に幽提灯《ジャック・オー・ランタン》みたいで大変なことだが。

「見えてきましたよ。あれが『白師神宮』の本殿です」

先頭を歩く竜巫女が俺達にそう告げる。

霧の晴れ間から、朱塗《しゅぬ》りの大きく荘厳《そうごん》な社《やしろ》がその姿を覗かせていた。

「よう来たの」

ちょこん、と目の前に立つ人物が朗らかな笑みを浮かべる。

透き通るような白い髪をおかっぱに切り揃えた、とても可愛しい女児が、やけに老成した台詞で俺達を出迎えてくれた。年の頃は十歳かそこらに見えるが……

「〝白師〞様！　広間にてお待ちくださいと申し上げたではないですか……」

竜巫女が慌てた様子で女児に駆け寄る。

「よいではないか。客を出迎えるのもずいぶん久しぶりなのじゃぞ？」

『イコマ』で信仰され、大陸に残る数少ない色鱗竜《カラードドラゴン》である〝白師〞。

……それがこの女児？

その事実を受け入れるのに一瞬戸惑ったが、すぐに理解することになった。

漂う気配が、人ならざるモノだったからだ。

「待たせてすまなかったのう。社を片すのに時間が……」

「〝白師〞様。その件は……」

「そうであった。吉日、そう吉日であったの」

悪戯っ子のように笑って誤魔化す姿は年相応にも見えるが、油断はできない。

あの『暗黒竜《アズィ・ダカー》』に対するカウンターとして機能するような御仁なのだ……。気を弛ませて対応を誤れば、大事になりかねない。

「こちらにどうぞ」

『竜巫女』に促されて、広い部屋へと通される。

床には足裏が沈むほどの柔らかな絨毯《じゅうたん》が敷かれており、調度品も一目でわかるほどに高価な物ばかりだ。〝白師〟はとててと走って、部屋の中央にいくつか設置されたソファの一つに腰を下ろす。

「ほれ、こっちへおいで」

「は、はい」

緊張しつつ、ソファに近づく。

「どうぞ。私はお茶を用意して参りますので」

言われるがまま、ソファに腰を沈める。このソファも一級品なのは明らかで、それこそ何時間でも座っていられそうだ。

両隣にユユとミントが座り、その隣にあるソファにはちょこんとチヨが腰を下ろしていた。

レンジュウロウはヤーパンの侍としての何かがあるのか、一言も口を開かずにその横に立っている。

「さて、賢人よ。今回は呼び立ててすまなかったのう」

「いいえ、〝白師〟様。俺達――いえ、私達でアレを止めることができたのは結果論にすぎません。救援依頼を受けていただき、ありがとうございました」

「……やけに堅苦しいのう？」

そう言われても困ってしまう。

「よいよい、普通にせよ。レンジュウロウも初めてではあるまいに、何を固くなっておるのじゃ」

お茶のセットを載せた盆をテーブルに置いた竜巫女が、小さなため息をつく。

「〝白師〟様、ご自覚なさいませ。人にとって、あなた様は尊《たっと》ぶべき存在なのです」

「堅苦しいことは苦手じゃ。そも、この男は一時とはいえ神になったのじゃろう？　ならば妾《わらわ》にへりくだる必要もなかろう。のう？」

のう？　と言われても、頷けるはずなどない。あれは体を媒介にしただけで、俺が神性を発揮したわけではない。神として、竜として厳然《げんぜん》として存在する〝白師〟とは、根本的に違うのだ。

「私はこの姉妹の力によって、その域に一時《ひととき》昇華されたにすぎません。☆1には過ぎた評価です」

「ほう、お主……☆1か？」

「は、はい」

なんとなく告げてしまったが、よく考えると、☆1ごときが神にも近い彼女に接見するなど無礼だっただろうか？

「で、あれば人の世は生きにくかろう。苦労したのう」

〝白師〟は慈《いつく》しむような優しい目で俺を見る。

「いいえ、私は周囲に恵まれましたから。こうして生きているのはみんなのおかげと思っています」

「性根《しょうね》のよい男じゃの！　気に入った」

〝白師〟はにこにこと機嫌よく笑い、竜巫女に顔を向ける。

それに応える竜巫女が首を横に振って、ピシャリと告げる。

「いけませんよ、〝白師〟様」

「苦労しておるのじゃぞ？」

「それでもです」

「ちょっとくらいよいじゃろう？」

「ダメです」

「可哀想だと思わんのか？」

「なにとぞ自重くださいませ」

何やら小さな押し問答がはじまってしまった。

「……あの、どうかされましたか？」

「こちらの話です、アストルさん。さぁ、本分をお果たしくださいませ」

竜巫女にそう振られて、ここに来た理由を思い出した。ドラゴンだと思ったら女児だったり、意外にフランクだったりで、何をしに来たかすっかり失念していた。

「そうでした。暗黒竜《アズィ・ダカー》の件でしたね」

「……ふむ。アレがかの地におるというのはずいぶん前から知っておったが、まさか本当に呼ぶバカモノがおったとは驚きじゃったの。現地はひどい有様《ありさま》だったじゃろ？」

「はい、人が塵になって、島が枯れていく様子をこの目で見ました」

それはまるで世界の終焉を思わせる光景だった、と記憶を振り返る。そして、あそこでヤツを狩りそこなえば、世界のあちこちで同じ光景が広がるところだったのだ。

「それと、あの島ですが……この先百年ほどは魔力《マナ》異常が観測されると思います」

地脈のないところであのような大規模な魔力操作を行なったのだ、大きな環境魔力《マナ》の乱れが残ることになる。それはいずれ淀みとなって、あの場所に危険な魔物を呼び寄せたり『はぐれダンジョン』を形成したりする可能性がある。

「それは仕方あるまい。人の手に負えなくなるようであれば、また妾が出向くよ。賢人達の長とそう約束しているからの。……それよりも、お主じゃ」

「私ですか？」

「いつも通り、〝俺〟で構わないんじゃよ？　〝僕〟でも妾好みじゃがの」

一人称に好みがあるなんて、変わった御仁だ。

とはいえ、普段通りでいいならそれに越したことがないけれど。

「さっきから見ておるが、在り《あり》方《かた》が妙に不安定じゃな？」

「一度存在ごと消え去ったのを、『伝承魔法』で存在を継いでいるんです。気《オーラ》のコントロールでずいぶん人間として戻ってきたはずなのですが」

「ほうほう、暗黒竜の竜巫女よ、そなたらが使った魔法というのは？」

そう呼ばれたミントが少し、眉を釣り上げる。

「アタシ達は、あんな魔神のモノじゃないわ」

「ユユは、アストルの、だから……！」

その様子を、朗らかな様子で見つめる〝白師〟は、どこか母親のような優しい雰囲気を纏っている。

「それは失礼したの。……して、どんな魔法を使ったのじゃ？」

「伝説を再現して、現実を、否定して歪ませた……。アストルの死という事実を英雄の帰還になぞらえて上書き、しました」

「なるほどの……では、やはり……の？」

〝白師〟がちらりと傍らの竜巫女を見上げる。

竜巫女は、なんとも言えない顔をして〝今回だけですからね〟と、小さくため息を漏らした。

「のう、アストル。お主、もっと強くなりたいとは思わんか？」

〝白師〟は竜巫女から小瓶を受け取って、テーブルの上にことり、と置いた。

小瓶は紅く透き通った液体で満たされていて、うすぼんやりと光を放っている。

どこか『ダンジョンコア』を思わせる色だ。

「これは……？」

そう尋ねておきながら、俺はその中身にある程度のあたりはついていた。

「妾が作った特別製の仙薬《ソーマ》じゃ。それを飲めば、たちどころにお主の体は強靭になり、稀薄《きはく》な存在は確固たるものと変わるじゃろう」

その瞳の奥に試すような光を宿して〝白師〟が微笑む。

「……これは、受け取れません」

「アストル？　治るのよ？　どうして？」

ミントが俺の手を握って、非難するように問い詰める。

「ミント、あれはきっと人が手を出してはいけないものだ。そんな気がする。それに俺の体は俺自身でなんとかするよ」

俺の言葉に、〝白師〟が頷く。

「うむ、合格。安易に力を求める者は身を滅ぼしがちじゃからの」

ちらりと視線を向けられたレンジュウロウが、さっと顔を逸らす。

「身につまされる話じゃのう、レンジュウロウ」

「あの頃は……拙者《せっしゃ》も若かったので……」

「そうよな。同じく、若くともアストルはしっかりと本質が見えとるようじゃがの？」

どうもこの二人の間には、過去に何かやりとりがあったらしい。

向き直った〝白師〟が俺に微笑んで告げる。

「心配せずとも、お主の体はじきにこの世に定着しよう。……この仙薬は記念に贈呈《ぞうてい》しようかの」

中身に興味がないと言えば嘘になるが……こんなものが手元にあるのは恐ろしい。

「受け取れません。うっかり欲に負けて使ってしまったら、あなたを裏切ることになりますしね」

俺の言葉に〝白師〟はニヤリと口角を上げて、パチンと指を鳴らす。

すると、目の前にあった小瓶は煙となって消えた。どうやら俺は再び試されたらしい。

「なかなかやりおるのう。じゃが、妾がお主を気に入ったと言うたのは真の気持ちじゃ。なんぞしてやりたいのう」

「そんな……畏れ多いです」

「住処とする地の不安を一つ取り除いてくれたのじゃ。それに報いようというだけじゃ……。試しに何か言うてみよ」

そう言われると、固辞《こじ》するのは逆に失礼な気もしてくる。

レンジュウロウがこくりと頷いている。好きにしろ、ってことか。

……とはいえ、ぱっと思い付くものもない。

「賢人とはもっと欲張りじゃと思っておったがの……」

「アストルは謙虚です故」

「どこぞの犬っころとは違うのう」

からからと笑われて、レンジュウロウが俯いて小さく震えている。あんな風になっているところは初めて見た。

「あ、では……『鳥居』の仕組みについて教えていただけませんか？」

『鳥居』の？　ふーむ……あれは古きイコマの民が作ったもの故、妾にもようわからぬな」

「そうですか……」

「あれは妾のおる神域——このダンジョンの最奥へと至るためのものじゃしのう」

やはりか。

なんとなく、ここがそうなんじゃないかとは思っていたのだ。

ダンジョンといっても、かなり特殊なフィールド型だと推測されるが、ダンジョン特有の違和感のようなものが『鳥居』を抜けた瞬間からあった。

「お主が欲するのは、空間を跳躍する……という事実であろう？」

「ええ、まあ……」

「ならば魔法をくれてやろう」

〝白師〟の言葉に周囲が凍りついた。

特に竜巫女などは、あんぐりと口を開けて完全に固まってしまっている。

気持ちはわからないでもない。

魔道具を使わずに空間跳躍するなんて、とっくの昔……それこそ古代に失われた力だ。

マーブルの持つ古代魔法コレクションのラインナップにだって見つけられなかった。

つまり、この世界ではすでに失われた魔法なのだ。

「〝白師〟様！　いけません！　それはいけません！　……秘法でございますよ⁉」

「よいではないか。目の前にレムシリアンの末裔がおるのだ。使いこなして見せるじゃろうて」

レムシリアン？　言葉からするに『レムシリア人』という意味だろうが……広義では人族でも森人《エルフ》でも獣人であってもそうなるはず。

それなのに、俺を指して末裔とはどういう意味だろう？

「レムシリアンとは……？」

「そうさな、お主らの言葉で言えば、『古代アーナム人』。このレムシリアに我ら竜と時を同じくして顕《あらわ》れたモノ」

一呼吸おいて〝白師〟は続ける。

「このレムシリアの魔力に最も適した体を持つ者達のことじゃよ」

――『古代アーナム人』。

この世界最古の文明を築いたとされる謎多き民族。

資料はほとんど残っておらず、推測や想像だけで語られる伝説上の存在だ。

その末裔が、俺とはどういうことだ？

「腑《ふ》に落ちぬという顔をしておるな？　賢人《アストル》」

「ええ、俺はしがない☆1《おちこぼれ》です。そんな伝説上の存在と関わりがあるとは思えませんよ」

「そう、それこそが……お主がレムシリアンの末裔たる所以《ゆえん》じゃ」

「え……」

俺達の驚いた顔に気分を良くしたらしい〝白師〟が、ニヤリと笑う。

「レムシリアン……『古代アーナム人』はその全てが今で言う☆1だったのじゃ」

「『古代アーナム人』が……☆1……？」

思わず息を呑む。これが、場末の酒場で聞いた話なら笑い飛ばして終わりだが、語っているのは神にも等しい色鱗竜《カラードドラゴン》だ。

「よろしいのですか？〝白師〟様」

「なに……知ったところで、今を生きる者にとっては与太話じゃろうしな」

竜巫女に頷き、〝白師〟は語る。

――遥かな古代……レムシリアがいまだ世界としての安定を得る前のこと。

産声をあげたばかりのこの世界は、満ち足りた魔力に任せて様々なモノを際限なく生み出していた。

「動物、植物、竜……はては大地そのものさえも毎日生み出されては、滅んでいったそうじゃ。その中で最初にレムシリアに根付いたのは竜族《ドラゴン》じゃった」

竜族《ドラゴン》は淘汰《とうた》を退《しりぞ》けるだけの強靭な体と淘汰を避けるだけの知恵を持ちえた最初の生き物で、この世界の物質的支配者となった。

彼らは時に群れとなって淘汰に抗い、時に自身が淘汰そのものとなってレムシリアに生きた。

そして、竜族《ドラゴン》の存在がきっかけになったのか、世界は徐々に安定に転じてゆく。

竜族《ドラゴン》を頂点とする食物連鎖が成り立ち、想像もつかないような長い年月をかけて、レムシリアは俺達の知る姿へ変わっていった。

「その間、いろんな生き物が生まれたり、絶滅したりした。妾達竜族《ドラゴン》は文字通りこのレムシリアの神ともいえる存在じゃった。じゃが、ある時……本当に突然、見たこともない生物がレムシリアに誕生したのじゃ」

それが『古代アーナム人』……人類の祖である、と〝白師〟は告げた。

「今の人族によう似ておる姿でな、気がついた時には、もう東アーナムの地に国のようなものをつくっておったらしい」

彼らは、竜族《ドラゴン》の誕生以降、初めてとなる『知恵ある者達』だった。

極めて脆弱《ぜいじゃく》な肉体ながら、工夫を凝らしてレムシリアの淘汰を乗り越え、勢力を拡大していたその者達に、竜族《ドラゴン》達は強い興味と不安を持ったのだという。

竜族《ドラゴン》達は、彼らをどう扱うべきか大いに悩んだ。

竜族《ドラゴン》にとっても、彼らの出現は予想しえぬもので、その意見が分かれた。

竜族《ドラゴン》達がこれまで邂逅《かいこう》した『知恵ある者』は、別次元の異邦から押し寄せる『異貌の存在《イモータル》』達であり、それらは生物と呼ぶにはあまりに異質な存在であったからだ。

しかし、この『人間』という新参者は、少なくとも生物としての営《いとな》みをしていた。

つがいとなり、子を産み、生きるために食べていた。

最終的に〝姿形は違えども、自分達竜とそう変わらない〟と判断した当時の竜族は、これを見逃した。

絶対強者故の余裕と、停滞したこの世界への波紋として、少しの期待があったからだ。

「……『異貌の存在《イモータル》』？」

「アストル、話の腰、折っちゃ、ダメ」

「はい」

ユユに怒られてしまった。

「『異貌の存在《イモータル》』は、そうさな……『神』に近い存在じゃ。管理人不在のこのレムシリアという次元を勢力に収めようという異界の者達。お主達が『神聖存在』と呼ぶ者達も、ここに含まれる」

「では、二十二神は……」

嫌な予感がする。聞いてはいけない……そんな予感が頭をよぎった。

「あれは本来、外から訪れたモノよ」

こともなげに言い放たれた言葉に、予感が的中したのを痛感する。

話の流れでわかりそうなものなのに、どこかそれに意識を向けないでいた。

二十二神はそれほどまでに、俺達にとって重要で当たり前のものだからだ。

「じゃがまぁ、悪いものではない。そも、あれらは仕組《システム》みのようなものじゃしの。あれを悪《あ》し様《ざま》に使ったのは、人間達故に」

「どういう意味ですか？」

「かつてのレムシリアは過酷じゃった。人間という種が生きてゆくためには障害が多く、お主達はそのことごとくが脆弱すぎた。ただ一つ、『古代アーナム人』にとって僥倖《ぎょうこう》じゃったのは、魔力《マナ》への親和性が非常に高かったということじゃ。今お主らが使っておる『魔法』の源流はそこにある」

〝白師〟曰く、それらは今に比べてもっと原初的なものであったらしいが、その力を使って淘汰を免《まぬが》れていたのは事実であるらしい。

「お主達は特性を生かして、様々な要素を自分自身に加えていった。ある者は大地に生きる獣の特性を、ある者は広がる森に隠れ住む特性を……といった具合にな」

獣人と森人《エルフ》のことだろうか。

「そうしてお前達人間は細分化しながらその適性を変化させていった。魔力《マナ》への親和性を捨てて、生物としての確固たる存在となることを目指す者もいた」

それが存在係数《コスト》――つまり、『☆』へとなっていくというわけか。

「そんな人間の中から『異貌の存在《イモータル》』たる二十二神に気付く者が出てきた。いや、もしかすると二十二神から何か発信があったのかもしれぬ。ただ、わかっておるのは……その時より『人間』という種は特別になったということじゃ」

彼らは強くなった、と〝白師〟は告げる。

なんとなくわかる。神に対して不遜だと思うが……ロジカルに考えれば想像がつく。

――『降臨の儀』だ。

人間は、二十二神という外部システムによって、その能力に見合った適切なスキルを選択・付与されて……最適化されたのだ。過酷な原初のレムシリアを生き抜くために。

善も悪もなく、ただシステムとして二十二神《それ》は存在するのだ。

言われて妙に腑に落ちた。

経典にあるような人格を持った神が俺達を見守っているなどということには、少しばかり違和感があったのだ。

「〝白師〟様。じゃあ、どうして……アストルは、☆1は、ひどい目に遭《あ》わなくちゃいけないの？」

ユユが言い直した☆1の中には、『粘菌封鎖街道』で命を散らしたあの少女《キアーナ》も含まれているのだろう。

「妾が聞きたいくらいじゃ。いつの時代の王か神務を司《つかさど》る者がそうしたのか……あるいは何か別の思惑《おもわく》が絡んでおるのか……気がつけばそうなっておった」

首を横に振った〝白師〟が俺を見つめる。

「じゃが、そうした理由はおよそわかる。お主を見ておるとな」

その言葉の意味が理解できず、俺は首を傾げた。

「俺を？」

「魔力親和性が高いということは、このレムシリアで自由が利きやすいということじゃ」

今の☆1の境遇を鑑《かんが》みるに、不自由極まると思うのだが。

「それこそほれ、お主は神にすら成ってみせたであろう？」

「あれは、二人の伝承魔法があってこそですよ」

「暗黒竜を屠《ほふ》るまでに忠実に伝承を再現しようと思えば、お主のような☆1が重要なのじゃよ。もし、お主が☆5であれば、此度の戦い……妾に出番が回ってきておったところじゃ」

にやりと〝白師〟が笑って告げる。

「〝白師〟よ、この事実を知らせてしまってよいのか？」

レンジュウロウの問いに、〝白師〟はこともなげに頷く。

「構わぬよ」

この情報があれば、存在係数《コスト》の秘密を研究している賢人達は大喜びだろう。

ただ、一般に流布《るふ》することはまだできそうにない。――いや、あってはならない。
☆1に利用価値を見出す者達や、怖れて虐殺《ぎゃくさつ》をする者が出るかもしれないし、逆に現状に不満を持つ☆1が反乱を起こす可能性もある。

バランスを欠いた状況が作られれば、数と能力で劣る☆1は、それこそ根こそぎ殺されてしまうかもしれない。

ちらりと視線を送ると、同じ考えにたどり着いたであろうレンジュウロウが、目で返事をした。

「所詮《しょせん》は旧支配者のよもやま話じゃが……気をつけて扱う情報ではあるの」

〝白師〟の言葉に、心から頷く。

これは、☆1《おれ》であるから明かした話だろう。

「えー、ダメなの？　ぱーっと発表しちゃえばいいのに」

「ミント、そんなことをすれば☆1は今よりもっと悲惨《ひさん》な扱いを受ける羽目になる。何事もタイミングと流れが必要だ」

「そうしたら、アストル達は虐《しいた》げられたままじゃない」

不満を口に出しつつも、ミントが俺を心配してくれているのはわかっている。

「現状に甘んじるよ。でも、少しは流れを変えられるはずだ……。信頼できる賢人達にこれを教えれば、きっと糸口が見つかる」

「そう、それよ。お主達『人間』はいつも群れで支え合って、いずれも困難を乗り切っておった。☆とて所詮は多様性の一つにすぎぬと、いずれは気付くであろうよ」

一息入れて、〝白師〟がこちらをじっと見る。雰囲気の変化が一目でわかった。

「さて、アストルよ。今しがた妾が話した中で、気になる言葉があったかの？」

俺の返答を予想した、誘導するような問いがその口から紡がれる。

本当に、鋭いお方だ。

「『淘汰』、でしょうか」

俺の返答に、〝白師〟が満足げに頷く。

「賢《さか》しい子は好きじゃぞ？　そう、『淘汰』じゃ。これをお主達は乗り切らねばならない」

「どういう……ことですか？」

「わからぬ。わからぬが、気配を感じるのじゃよ。暗黒竜《アズィ・ダカー》めがそれかと思ったのじゃが、肌にまとわりつく不安が消えぬ。おそらく、そう遠くないうちに、このレムシリアの大地を『淘汰』が襲うじゃろう」

――『淘汰』。

それは、不要あるいは不適のモノを排除することを指す言葉だ。

こと自然科学においては、生存競争によって環境に適応できないモノが死滅し、適応するモノだけが生き残るという意味で使われる。直接、俺達『人間』のみに当てはまる言葉とは限らない。

ただ、それによって俺達が滅ぶということはありえない話ではないのだ。

「直近に起きた『淘汰』は、二千年ほど前じゃったかの？」

問われた竜巫女が頷く。

「二千二百年前でございます、〝白師〟様」

「そうであったな。あれは『淘汰』というよりも、外からの侵攻であったと妾は思うがの……」

二千年前――何かが引っかかる。

暗黒竜《アズィ・ダカー》について調べる際に漁《あさ》った資料……終焉に関しての資料の中に何かあったような気がする。

もう一度、禁書庫へと赴く必要がありそうだ。

場合によっては、他の賢人を動員してでも調べる必要があるだろう。

ま、今回の情報と引き換えであれば、なんでもするという賢人は多いはずだ。

「……アストル」

ユユが、俺の手を握る。小刻みに震えているようだ。

「ユユは、知ってる。その災厄を」

「アタシも。……こう来たかー、って感じ」

俺の知らないところで二人が納得し、怯《おび》えている。

「そうか、二人は巫女の系譜《けいふ》じゃったの」

「はい、伝承、されてます」

ユユが、伝説を語りはじめる。

ソレは、世界の果てから飛来したのだという。

レムシリアの大地に激突したソレは、三つの欠片《かけら》となって各地に飛び散った。

欠片達はレムシリアの豊富な魔力を吸って、意志あるモノへとその姿を変じ……この世界を手に入れんと蠢く存在になった。

「聞いたことがあるぞ……それ。『黄昏《たそがれ》の三魔王』……か？」

「ん。そう……。『淘汰』っていうのは、今知った、けど……二千年くらい前の災厄と言えば、これ」

驚きが、そして恐怖が俺を支配する。

それは史実であるかもしれないが、あまりに現実離れしていて、現代を生きる者にとっては古い古いおとぎ話のようなものだ。

何せ、そいつらは世界を一度、その手に収めている。つまり、人類は一度敗北しているのだ。

そして魔王達は、真なる支配者を決するために、今度は三人で争いはじめる。

……俺達人間や、この世界の生物を大いに巻き込んで、だ。

現在、『魔物《モンスター》』として分類されるもののいくつかは、この魔王達によって作り出された生物兵器の生き残りが野生化した存在だとされる。

物語の結果から言うと、人間はなんとか生き延びて逆転した。

知恵と力を結集し、魔王達の虚《きょ》をつくことで、討滅し、あるいは封印したと伝えられている。

「あの戦には妾達は関わらなかった……いや、関われなかった。別の『淘汰』の相手をしておったが故な。そして今回も、そうなるやもしれぬ」

「……というと？」

「下位種のものはともかく、妾達色鱗竜《カラードドラゴン》は、来たる災厄に備えて神域で眠りに入った。今の時代、活動しておる者はそう多くない。もちろん、なんぞあれば妾は力を貸すが……おそらく、そう簡単にはいくまい」

……今度こそ人は滅ぶ可能性がある。

そう考えると、うすら寒いものが心を掴んで揺さぶられているような感覚に包まれた。

緊張と恐怖がごちゃまぜになった、不快で気味の悪い気分だ。

「この局面で必要となるのがアストル、お主なのじゃよ」

「俺……？」

「うむ。お主は此度の『淘汰』を超えるにあたり、絶対に必要となる人材じゃろう」
☆1の有用性はわかった。俺自身もできることはしてみせる。
……だが、〝絶対に必要〟とは、いささか過剰な評価だろう。

「解《げ》せぬという顔をするな、お主は自己評価をもう少し正しくするべきじゃと思うぞ？」

「あいにく、それができない性質《たち》らしくて」

「難儀なことよな。では、順を追って説明する故、しかと理解せよ」

〝白師〟の言葉に頷いて応える。

「まず、レムシリアンの特性を色濃く残す☆1であること。次に、お主が生来《せいらい》の魔法の使い手であること、そして優れた冒険者であるということじゃ」

小さな指を一本ずつ立てながら〝白師〟が語る。

「さらに、善人とはいかずとも人はよい。誰ぞのために怒り、誰ぞのために悲しむことのできる☆1は今時分《いまじぶん》貴重な存在じゃ」

褒められているのか、なんなのか。

「さて、これまで人が『淘汰』に相対《あいたい》する際に使ってきた物がある。……何かわかるかの？」

それほどの規模の災厄だ、なんだって使うだろうと思うが……何かと問われて答えが出るようなものなのだろうか。

「魔法道具《アーティファクト》、あるいは魔法でしょうか？」

「半分正解じゃが、誤りでもある。お主ら冒険者にとっては馴染み深いものだと思うがの？」

「もしかして……『ダンジョンコア』、かしら」

ミントの呟きに、〝白師〟は満足げに頷く。

「然り。『レムシリア・コア』の欠片である深紅の魔力結晶体、願いを叶える万能器、人の想いを現象に変える鍵——『ダンジョンコア』じゃ」

〝白師〟が机の上に、ころりと無造作《むぞうさ》に小さな赤い結晶をいくつか転がす。

大小さまざまだが、全てが『ダンジョンコア』だ。

「これはの……妾は使えぬ。いや、正確には使っても正常に力を引き出せぬ」

「竜族《ドラゴン》は使えないのですか？」

「違う、レムシリアンの末裔のみがこれらを正しく使うことができる。そして、その力を最も引き出せるのは、レムシリアンの性質を最も色濃く残す、お主のような☆1なのじゃ」

何故かと問うのは愚かだ。すでにそれは研究として半ば立証されている。

魔力伝導率と『存在係数《コスト》』——☆1の利点がそれだからだ。

「よいかの？『ダンジョンコア』を使って『全知録《アーカーシャ》』を開くことができる時間は、極めて限られておる。あの場所からどれだけ正確な情報と力を引き出せるかは、使用した者の魔力伝導率によるのじゃ。妾ら竜族《ドラゴン》は魔力伝導率を大幅に下げることで適応した種じゃ。お主らで言うと☆5というやつじゃな」

「竜族《ドラゴン》は全て☆5なのですか？」

「二十二神のシステム外にある妾らがそう分類されることはないがの。なんにせよ、この大きさの『ダンジョンコア』では大した願いを叶えられぬ。それはそこな竜巫女の片割れも同じじゃ」

ミントを見据えて、〝白師〟が告げる。

「レムシリアンの肉体的脆弱性は、この魔力伝導率を下げぬために必要な条件じゃ。この世界において、強靭であればあろうとするほど、原初の魔力《マナ》から遠ざかるからのう。……これ、そう気を落とすな。☆5の者とて、ある『淘汰』に人間が立ち向かうための進化であったのだから」

気落ちしたミントを見かねて、〝白師〟が宥める。

俺が背中をポンポンと叩いてやると、ミントが小さく笑った。……うん、大丈夫だな。

「つまり……『ダンジョンコア』がいる。それも大型の」

俺の言葉に、〝白師〟が頷く。

「然り」

「『淘汰』から人類を救うために」

「然り」

そこまで言って、思わず自嘲《じちょう》する。

人類なんて言いはしたが、正直に言って俺は……全人類に博愛を向けるほど余裕のある人間じゃない。

いつだって、できることを精一杯やってきただけで、そんな壮大な話の矢面に立たされるなんて思ってもみなかった。

暗黒竜《アズィ・ダカー》の時は、結果としてそうなったかもしれないが、きっかけは姉妹のことだった。それしか頭になかったし、二人を助けるために俺は大量の命を奪った。

……人類愛からは程遠い。

そんな俺に、どうしろというのだろう。
☆1という立場に立たされ、今だって移住した先で〝人間として認めるかどうか〟なんて協議が行われているような状態で、だ。
――この世界を、人々を、命を賭して助ける必要があるのか？

こんなことを考えてはいけないと、理性ではわかっている。

神にも近い〝白師〟が俺を指して〝救世主たり得る〟と言うのだ、きっと勝《か》ち筋《すじ》が存在するのだろう。俺とて、この世界の住人の一人としてそれに立ち向かわねばならないと思う。

だが……

どうしても世間から向けられた嘲笑や仕打ちを思い出してしまう。

温かな気持ちの中に消え去ったはずのそれらが、心の奥でチクチクと怨嗟の声を響かせるのだ。

「……アストル」

「アストル」

俺の手を、ユユとミントがそれぞれ握る。

この温もりがいつだって俺を勇気づけてくれるはずなのに、どうして俺は……！

「〝白師〟様。少し、お時間をいただいてもよいですかの？」

答えに窮《きゅう》した俺を見たレンジュウロウが、俺の肩をポンと叩いて〝白師〟に尋ねた。

「うむ、気にするな。すぐに答えを出す必要などない……。今日はこの社に泊まっていくがよい」

いつの間にか、ずいぶんと時間が経っていたようだ。

「夕餉《ゆうげ》の準備をさせましょう。まずはお部屋へご案内させていただきますね」

竜巫女に促され、席を立つ。

「失礼します、〝白師〟様」

「なに、根《こん》を詰《つ》めすぎたやもしれぬな。魔法もまだ教えておらぬし、ゆるりと休むがよい」

〝白師〟の憐憫《れんびん》を含んだ苦笑に見送られて、俺達は部屋を後にした。

竜巫女の案内に従って社の中を歩く。

ここがダンジョンの中だなんて忘れそうなくらい、手入れの行き届いた屋敷だ。

「こちらのお部屋をご自由にお使いくださいませ」

廊下に面した部屋が六つ。どれを使ってもいいらしい。

「お食事の準備ができましたら、また呼びに参ります」

そう頭を下げて、竜巫女は廊下を歩いていった。

「じゃあ、俺はこの部屋を。少し休むよ」

「じゃ、アタシ達は両隣をもらうわね。アタシこっち」

「ん。アストル、ゆっくりしてね」

姉妹が、俺の選んだ部屋を挟むようにして部屋を指定し、入っていく。

「ワシらは向かいの部屋におる。何かあれば呼べばよい。……一人で抱え込むでないぞ？」

「はい。少し……落ち着いて整理したいと思います」

「それがよい。ワシもいささか……混乱しておるしな」

レンジュウロウはガリガリと頭を掻いて、困ったように眉尻を下げる。

「じゃあ、後で」

「うむ」

そう断って引き戸を開け、部屋に引っ込む。

部屋はそう広くはないが、一通りの家具は揃っており、魔法の力か何かで室温も適度に保たれていた。

整えられたヤーパン風のベッドに腰を下ろして、ごろりと横になる。

みんなに気付かれたかな？　……気付かれただろうな。

ぐるぐると後悔に似た思考が脳裏をめぐる。

即答するべきだった。

すぐさま〝任せてください〟と首を縦に振るべきだった。

未曽有《みぞう》の災厄に対して、俺に何ができるのかわかったものじゃないが……ユユを、ミントを、みんなを守るためにも、俺はあの場で潔《いさぎよ》く覚悟を決めるべきだった。

……きっとみんな、失望しただろう。
☆1の俺にずいぶん目をかけてくれたのに、ここに来て尻込みしたと思ったに違いない。
自分の小ささが嫌になるくらい自覚できる。

賢人だ〝魔導師《マギ》〟だと言われても、俺に染み付いた☆1根性は拭えない。

正直に言おう。俺は自分やキアーナを貶《おとし》めた連中のために命など張りたくはないのだ。

さんざん〝社会のゴミだ〟〝役立たずだ〟とレッテルを貼っておきながら……いや、今も公然とそのレッテルを貼り続けるこの世界に、命を懸けるほどの価値を見出せない。

実際、今回の難局を乗り切ったとしても、☆1に対する評価はそう変わるまい。

いや、終わった直後に俺の首を刎ねて、違った事実を喧伝《けんでん》するに違いないという確信すらある。

その時の犠牲が俺だけで終わるなら、それもいいだろう。

だが、俺は☆1嫌いの権力者達のやり方を知っている。

口封じとプロパガンダのために、俺の愛する人達を巻き込むかもしれない。

そうなる可能性があるというのに、一体、なんのために戦うというんだ？

ベッドで思考を澱ませる俺の耳に、ノックの音が響いた。

「アストル？　入って、いいかな？」

控えめなユユの声が、引き戸の先から聞こえる。

「どうぞ」

体を起こして返事をすると、引き戸をゆっくりと開けてユユが部屋へ入ってくる。

その顔は心なしか沈んだ様子に見えた。

「休んでるのに、ごめん、ね？」

「ユユがいた方が安らぐよ。一人でいると良くない考えがどんどん湧いてくるんだ……」

隣に腰を下ろしたユユが、俺の肩に頭を預けてくる。

「あのね、ユユは……アストルが、どんな答えを出しても、いい」

「……！」

「戦わなくて、いいんだよ。英雄降ろしをしたユユが言うのもヘン、だけど。アストルは英雄に、ならなくて、いい。逃げても、隠れても、見放しても……ユユは気にしない。ただ、一緒に、いたいだけ」

たどたどしく紡がれる言葉には、労《いたわ》りが詰まっていた。

俺が何に悩んでいるか、ユユには丸わかりだったようだ。

「俺は……何もかもを救えるなんて思っちゃいないし、そうしたいわけじゃないんだ。俺やキアーナを侮辱《ばかに》して嘲笑《わらっ》した連中なんて、どうなってもいいと、心のどこかで思っていたらしい」

ユユは俺の言葉に小さく頷く。

「でも、守りたいものもあるんだ。ユユや、みんなを。☆1だって気にしないで俺に温かさを分けてくれた人達のためになるなら、俺は……なんだってやってみせる」

「ユユも、一緒。だから、アストルはやりたいことだけ、やれば、いい。賢人って、そういうもの、でしょ？」

微笑むユユの肩を抱いて、俺は頭にかかっていた暗雲じみた靄が晴れていくのを感じた。

「ああ、そうしよう。賢人らしく、我儘《わがまま》に自由気ままにやってみよう。やれることをやれるだけ。俺ができる限りに」

「ユユも、手伝う。今度は、最期まで一緒だよ」

その優しげな目に、覚悟が見てとれた。

「あれ、話……ついちゃった？」

ふと見やると、部屋の入り口にミントが立っていた。

「言っとくけど、アタシも同じよ？　苦しいことは一緒に背負うし、死ぬ時は一緒よ。大体、どうせ〝☆1の俺が〜〟なんて考えてたんでしょ？　気にしなくていいわよ、いざとなったら☆5のアタシがやったことにすれば、誰も文句なんて言わないわ」

困ったように、そして優しげに苦笑するミントが歩み寄り、俺を挟んで座ってユユ同様に頭を預けてくる。

「ほら、可愛い嫁が二人もいる☆1なんて、古今東西《ここんとうざい》聞いたためしがないわ。それだけで斬首ものよ。今更悩まなくていいわ」

「……そうだな」

二人を抱き寄せて、深呼吸する。

温もりと柔らかさと、甘い香り……これを守るために体を張るのは、ずいぶん容易い。

有象無象《うぞうむぞう》のことで悩むなんて、時間の無駄だった。

「ありがとう……ユユ、ミント。力を貸してくれ。今回の研究テーマは『淘汰とその対策、手法についての考察および実践』だ」

「難しいのは任せたわ。アタシにできることを教えてくれればそれでいいのよ」

「じゃあ、ユユは難しいことのお手伝い、しようかな」

「む」

俺を挟んで可愛らしく張り合う姉妹を愛おしく思いながら、俺は覚悟を決めた。

◆

「ふむ。覚悟が決まったようじゃの……うむうむ、良い顔をしておる」

〝白師〟がニヤニヤと笑いながら言った。

夕食に呼ばれて、席に着いた途端に看破《かんぱ》されてしまったようだ。

「やりたいように、やれることをやるだけです。人類の盛衰《せいすい》も運命も背負うつもりはありませんよ」

「良い心がけじゃ。それでいいとも……」

〝白師〟は満足げに頷いて、テーブルの上に何かを並べはじめる。

数個の『ダンジョンコア』、それに何かの魔法薬《ポーション》を数本、そして小さな手帳のような物。

「さて、食事の前に戦場に向かうお主へ、妾からの餞別《せんべつ》じゃ。どれもこれもきっとお主を助けてくれるじゃろう」

「こんなに……？」

いささか驚いた。なんだかんだ言っても所詮は口約束だ。

〝白師〟は、俺がこれを持って姿をくらませるとは考えないのだろうか。

「不思議そうな顔をするな。お主が信用に値するというのは、お主の周りの者を見ればわかる。伊達《だて》に齢《よわい》一万年を超えておるワケではないぞ」

「……ありがたく、頂戴します」

『ダンジョンコア』が五つもある。

大きさから、そう大それた願いは叶えられそうにないが、要所での安全確保や困難突破には充分な保険になる。

「魔法薬《ポーション》は『竜血の仙薬《ソーマ》』じゃ。妾の力を込めてある。……あまり人の世に出すべきものではないが、〝強さ〟で越えられぬ壁があった時に、助けとなるじゃろう」

「成分分析をしても？」

「……よい。が、人の手でそれを作るのは無理じゃと思うぞ？」

そんなのやってみなくちゃわからない。

「ええ、他の魔法薬の参考にと思いまして」

「好きに使うがよい。正直、お主の底が知れぬのは、すでに報告に上がっておるしの」

「あと……これは？」

手帳を手に取って、まじまじと見る。

小さな魔力の波動が、革の背表紙から漏れ出ている。

「見ての通り魔導書よ。考えたのじゃがな……妾が手取り足取り社で教えるのは手間じゃし、時間も食う。お主ほどの魔法使いであれば、中を見ただけで理解できようと思っての」

目で促され、手に収まりそうな小さな魔導書を開く。

「……！　なんだ、これ……！　まさか……！　いや、これは……ッ！」

ページをめくる手が止まらなかった。

失われた魔法の数々、そして現在の魔法の原典《アーキタイプ》となった古代魔法……それに〝固有の魔法波形を利用した魔法式の構築〟に関する基礎魔法式もある。

学園の禁書庫の最奥にすら、こんな危険で興味深いものは存在しない。

「なるほど……ああ、こうなっているのか、それで……！　なら、ええと……」

「アストル……アストル！」

「お、ああ……」

「落ち着いて？　どうした、の？」

ユユに宥められて我に返る。確かに、貴人である〝白師〟の前でこのような態度を取るべきではなかった。反省せねば……

「人間がもう使えない失伝した古代魔法がたくさん書いてある。それに謎だった多重崩壊形魔法式のヒントも」

ミントが額を押さえながら、俺の脇をつつく。

「……アタシにもわかるように説明して」

「そうだな……材料と魔力《マナ》と時間が確保できれば……『ダンジョンコア』なしで簡単な『成就』の魔法が使えるかもしれない」

俺の言葉に、室内が静まり返る。

そして、それに最初に反応したのは他ならぬ〝白師〟だった。

「『レムシリア・コアの欠片《ダンジョンコア》』なしに『全知録《アーカーシャ》』に触れるというのか？　おい、レンジュウロウ……この小僧はどうかしておるぞ」

「ワシに言わんでください」

「いえ、理論さえわかれば『ダンジョンコア』の『成就』だって魔法現象なんですから、再現可能なはずです。そのヒントが、これに書いてあったんですよ」

「ヘンな奴じゃ……」

唖然とした顔の〝白師〟の呟きを聞いて、姉妹が小さく笑う。

「では、アストルさん。『成就』が個人で発動可能となるのですか？」

チヨに質問され、俺は少し考えて返す。

「……かなり困難、ですけど。でも理論はわかりました。どうやって段階的に魔法式構築をするかのヒントが載っていましたから。いろんな魔法に応用できますよ」

「アストルが言うと、迫力が違うわね……。今度は何をやらかすつもりなのかしら」

ミントがニヤニヤしながら俺を見る。

「できることしかしないよ。『淘汰』が何かすらわかっていないんだ、準備をしなくちゃいけない。

……人類は負けたっていいけど、俺は今度こそお前達を守り切るぞ」

ミントが顔を少し赤くして俯く。

時々そうやって純な反応をするものだから、こっちまで調子が狂いそうだ。

それに……あんな思いはもうごめんだ。

「『淘汰』については、妾も情報を集めておく……。しかし、今の時代の人間が結束できるのかの？」

その質問に答えるのは難しい。

国単位であれば、一丸《いちがん》となることはできるかもしれない。

『淘汰』が差し迫った脅威とわかれば、各国が手を取りあうこともやぶさかではないだろう。

だが、それは現在の社会体制において、だ。

〝白師〟がいうような☆1を活用した柔軟な対応がとれる国はまずほとんどないだろう。

それこそ、学園都市のような特殊な環境であれば別だが、それはそれで足並みが揃わない原因になるだろう。

……だとすると。

足並みを揃えない代わりに、自分とその周りくらいは守れるだけの能力が俺には要求される。

パーティ単位、あるいは塔単位……一番大きくても学園都市という括りでしか、今は☆1を活用できない。

その学園都市にだって、いまだに☆1を認めない勢力もある。

今から始めて魔法的素養を備えた☆1が何人分集められるか、そして『ダンジョンコア』の数を揃えられるか。それが肝になってくる。

……そこまで考えて、口を開く。

「難しいでしょうね。『ダンジョンコア』が大量に必要になりますし、それに……☆1を上手く運用できる国家が現状ありません。なまじそれが叶ったとしても……今まで虐げられてきた☆1が素直に従って、運用されるとも思えませんし」
☆1としては破格の待遇でここまできた俺が、こうも葛藤《かっとう》するのだ。
今この時にも泥水をすすり、石を投ぶつけられている☆1に『ダンジョンコア』を渡して、〝世界の危機に立ち向かおう〟なんて言葉をかけられるはずがない。

「では、やはりお主に一点集中をかける方が、勝算が高くなるじゃろうの……」

徐々にテーブルに並べられていく料理の湯気の向こうから、〝白師〟が妖艶に笑ったのが見えた。

「さっきの一点集中とは、どういう意味ですか？」

ヤーパン料理と『西の国《ウエストランド》』料理の中間のような不思議な料理を食べながら、俺は〝白師〟に問う。

「そのままの意味よ。重要な場面ではお主が『レムシリア・コアの欠片《ダンジョンコア》』をコントロールするのが、勝算の高い方法じゃと妾は思う。さっき、お主が自力で『全知録《アーカーシャ》』に触《さわ》れると言った時にそう感じた」

確かに『成就』を『ダンジョンコア』なしで使う理論は見えてきている。

だが、それを『淘汰』に対して実践できるかというと、答えは否だ。

おそらく、小指の先ほどの『ダンジョンコア』と同じだけの力を発揮するのに、俺の全ての魔力《マナ》を注ぎ込まねばならない。気を利用して魔力（マナ）を賄（まかな）っても、だ。

「俺の魔力じゃ、限界がありますよ……」

「うむ、だからじゃ」

イカの切り身のような料理をつまんだ箸を振りながら、〝白師〟が俺を指す。

「『超大型ダンジョンコア』というのじゃったかな？　あれを手に入れるのが、最も効率的で現実的な『淘汰』に対する備えとなろう」

そう言われて、口の中のものを噴き出しそうになる。

『超大型ダンジョンコア』を持ち出して、現実的かつ効率的とは……さすが神に近いものは言うことが違う。

人の手によって発掘された『超大型ダンジョンコア』は、たった三つしかない。

現在もエルメリア王国が管理する『シェラタン』。

大陸南部の広大な地域を支配するベルセリア帝国が所持する『エルナト』。

……そして、暴走したことにより行方がわかっていない『ズヴェン』。

人類史上に存在が明らかになっている『超大型ダンジョンコア』は、この三つしか存在しないのだ。

それに連なる四つ目を手に入れることが現実的とは、とても思えない。

「そもそも、人はそのようにして『淘汰』を乗り越えてきたのじゃ。今回もそうするのが最適解に最も近いじゃろうて」

「前回も、使ったのですか？」

「うむ、どこぞの勇者が『シェラタン・デザイア』の深部へ赴き、それを手に入れたはずじゃ」

——初代エルメリア王！

王国の興《おこ》りは約二千年前と言われているので年代的にも合っているし、『淘汰』である魔王達を退けた英雄ともなれば、国を興し、王となるのは至極当然と言える。

「どこであっても、本殿《メインダンジョン》を攻略して『超大型ダンジョンコア』を手に入れるのが、どれほど困難かはわかっておる。じゃが、人間の最大の利点である数と多様性を頼りにできぬのであれば、お主はそれを覆《くつがえ》すだけの〝何か〟を得ねば、何も守れずに滅びることとなるぞ」

筋は通っている。

人類の脅威である『淘汰』から、多少なりとも身を守ろうというのであれば……そのような強大な力が必要だろう。

……ただ、エルメリア王国もベルセリア帝国も『超大型ダンジョンコア』を有しているのだから、危機が差し迫ればそれらを使ってくれるのではないだろうか。滅んでしまっては元も子もないのだし。

だが、それを期待して自分で『淘汰』に対して何もしないのは、不安が残る。

「うーん……俺の知っているダンジョンは『エルメリア王の迷宮《ダンジョン》』と『サルヴァン古代都市遺跡群』しかないな」

「……ならば、アストル。『エルメリア王の迷宮《ダンジョン》』にしようではないか」

レンジュウロウが、かぶりついていた鶏《とり》の足を口から離して俺に向き直る。

口の周りがべたべただ——と思ったら、チヨがかいがいしくテーブルナプキンでふき取っている。

……レンジュウロウはチヨに甘えることを少し覚えたらしい。

見ているこっちが恥ずかしい。

「元より再挑戦する予定であったし、このような事情じゃ、ミレニア嬢に頼んで公式調査団の助けも借りよう。ガッツやロセスら、上位の冒険者達も力を貸してくれるじゃろうて」

「原点回帰、ですか」

「然り。いくら『淘汰』じゃ世界の危機じゃといっても、ワシら冒険者のやることはそう変わらんよ。ならば、お主が熱望していたあの場所へもう一度立ち戻り、見つめなおすのも良いのではないかの？」

俺が冒険者を目指し、一度はそれを諦めた場所。

そして、何もかもが始まった場所——バーグナー伯爵領の領都ガデス。

レンジュウロウの言う通り、ごちゃごちゃと理屈をこねて無理やり自分を納得させるよりも、冒険者の仕事としてあたる方が気が楽だ。

「帰ったらエインズと相談してみよう。バーグナー領都《ガデス》に向かうにしたって、塔を長期間空けるなら、それなりの準備がいるし……」

「なに、『淘汰』とてすぐに始まったりはせぬ。まだ数年の猶予《ゆうよ》があると思ってよい。焦る必要はない」

浮き足立つ俺を窘めるように〝白師〟が告げた。

「でも……そう遠くない未来に『淘汰《それ》』は来るんですね？」

「うむ。それがどんなものか、そしてどのように起こるのかはわからぬ」

そして、これを知っているのは俺達と……同じように何かを感じることができる者達だけだろう。

その中の何人が、これに立ち向かえるのか。

考えると、少し気が重くなる。

「ま、どうにかなるわよ」

とろみの強い卵のスープをすすりながら、ミントが気にも留めない様子で言った。

「だって、結局アストルがなんとかしちゃうもの」

「ん。アストルは、すごいんだから」

姉妹の期待がなお重い。

だが、この二人に期待されて、いまさら〝できません〟とは言えない。

全力で事にあたろう。そうして、二人には自慢げな顔をしてもらうのだ。

それが、俺の幸せでもある。

「うらやましいのう。妾も恋人がほしいものじゃ」

〝白師〟が俺達を茶化すように言った。

「いないんですか?」

「想い人はおった。じゃが、黒くてぼっちで根暗な幼馴染に取られてしもうた。まったくもっていまだに解《げ》せぬ」

ふんす、と鼻を鳴らしながら大きな肉を頬張る。

この〝白師〟に見初められるんだから、きっととんでもない人なんだろう。

「まぁ、それはよい。ここでの生活も気に入っておるしの。しかし、レンジュウロウよ、お主までとはいささか驚いたのう?」

「一番驚いたのは拙者自身ではないかと」

「ふむ、よく尽くす良い妻を娶った。長生きすることじゃ」

「はっ……」

小さく頭を下げるレンジュウロウと、その横で縮こまるチヨを見て、〝白師〟が顔を綻ばせる。

きっと、彼女はこの里全体の母親のような人なのだろう。

隣でお茶をすするユユを見て、俺は夢想する。

彼女が、同じ顔で微笑む姿を見てみたいと、切に思った。

大貴族家に生まれた少年、シアン。彼は順風満帆な人生を送るはずだったが、魔法の力を授かる成人の儀で、水しか出ない役立たずの神具【コップ】を授かってしまう。落ちこぼれの烙印を押されたシアンは、名ばかり領主として辺境の砂漠に追放されたのだった。どん底に落ちたものの、シアンはめげずに不毛の領地の復興を目指す。【コップ】で水を生み出し、枯れたオアシスを蘇らせたことで、領民にも笑顔が戻り始めた。その時、【コップ】が聖杯として覚醒し——!? シアンは【コップ】をフル活用し、名産品作りに挑戦したり、不思議な魔植物を育てたりして、自由に町を作っていく!

◉定価:本体1200円+税　◉ISBN 978-4-434-27336-0　◉Illustration:もきゅ

この作品に対する皆様のご意見・ご感想をお待ちしております。

おハガキ・お手紙は以下の宛先にお送りください。

【宛先】

〒150-6008 東京都渋谷区恵比寿4-20-3 恵比寿ガーデンプレイスタワー8F
（株）アルファポリス　書籍感想係

メールフォームでのご意見・ご感想は右のＱＲコードから、
あるいは以下のワードで検索をかけてください。

アルファポリス　書籍の感想　検索

ご感想はこちらから

本書はWebサイト「アルファポリス」（https://www.alphapolis.co.jp/）に投稿されたものを、改題、改稿、加筆のうえ、書籍化したものです。

落《お》ちこぼれ[☆1]魔法使《まほうつか》いは、今日《きょう》も無意識《むいしき》にチートを使《つか》う 6

右薙光介（うなぎこうすけ）

2020年6月30日初版発行

編集ー仙波邦彦・宮坂剛
編集長ー太田鉄平
発行者ー梶本雄介
発行所ー株式会社アルファポリス
〒150-6008 東京都渋谷区恵比寿4-20-3 恵比寿ガーデンプレイスタワー8F
TEL 03-6277-1601（営業）　03-6277-1602（編集）
URL https://www.alphapolis.co.jp/
発売元ー株式会社星雲社（共同出版社・流通責任出版社）
〒112-0005東京都文京区水道1-3-30
TEL 03-3868-3275
装丁・本文イラストーM.B
装丁デザインーAFTERGLOW
印刷ー図書印刷株式会社

価格はカバーに表示されてあります。

落丁乱丁の場合はアルファポリスまでご連絡ください。

送料は小社負担でお取り替えします。


ISBN978-4-434-27446-6　C0093